Zapiski na pudełku od zapałek

Umberto Eco

Zapiski na pudełku od zapałek

Przełożył
Adam Szymanowski

Tytuł oryginału włoskiego: *IL SECONDO DIARIO MINIMO*
rozdział *ISTRUZIONI PER L'USO*

Projekt okładki: Krzysztof Dziamski
Jacek Gulczyński

Redaktor wydania: Joanna Molewska

Druk i oprawa: ⑤ Těšínská tiskárna, a. s., Český Těšín

ISBN 83-85468-13-7

Od autora

Zgromadziłem tu felietony ukazujące się od 1986 roku w ,,L'Espresso'' w rubryce ,,La Bustina di Minerva'' (Pudełko zapałek z Minerwą) oraz parę innych tekstów, które publikowano w różnych okresach na łamach tego tygodnika. Zachowałem porządek chronologiczny, żeby uczynić zrozumiałymi, i wybaczalnymi, aluzje do ówczesnej rzeczywistości (na przykład zbyt długo rozwodzę się nad wyjaśnieniami dotyczącymi faksu, który wtedy był jeszcze o wiele mniej rozpowszechniony).[1] Niektóre teksty powstały z połączenia kilku felietonów.

Felieton ,,Jak być Indianinem'' nie był publikowany. Napisałem go w celach edukacyjnych, na użytek moich małych jeszcze wówczas dzieci. Dlatego mówi o rzeczach, które dorosłemu widzowi są doskonale znane.

---

[1] Czytając korektę tych tekstów, zerkam na nowe odcinki serialu z porucznikiem Colombo i widzę, że przebiegły detektyw demonstruje osłupienie na widok faksu.

5

JAK BYĆ INDIANINEM

Zważywszy, iż przyszłość narodu indiańskiego jest już, jak się zdaje, raz na zawsze określona, młody Indianin spragniony awansu społecznego ma przed sobą jedną tylko drogę, a mianowicie zagrać w westernie. W tym celu podamy tutaj garść najistotniejszych wskazówek, które pozwolą mu osiągnąć w toku rozmaitych przedsięwzięć pokojowych i wojennych status „Indianina z westernu" i w ten sposób uporać się z problemem endemicznego bezrobocia nękającego jego pobratymców.

Przed atakiem

1. Nigdy nie atakować znienacka; przeciwnie, z daleka i z kilkudniowym wyprzedzeniem dawać dobrze widoczne sygnały dymem, aby dyliżans lub fort zdążył wysłać wieści Siódmemu Pułkowi Kawalerii.

2. Jeśli to tylko możliwe, ukazywać się małymi grupkami na okolicznych wzgórzach. Niech wartownicy zajmą stanowiska na wznoszących się samotnie wierzchołkach.

3. Zostawiać dobrze widoczne ślady swojego pochodu: odciski końskich kopyt, wygaszone ogniska na miejscach postoju, a także pióra i amulety, które pozwolą zorientować się, do jakiego plemienia należycie.

Napad na dyliżans

4. Napadając na dyliżans, zawsze należy ścigać go zachowując odpowiednią odległość, a w najgorszym razie galopować po obu jego stronach, tak żeby stanowić jak najlepszy cel.

5. W żadnym razie nie wyprzedzać dyliżansu. Ściągać w tym celu wodze mustangom, które są, jak wiadomo, znacznie szybsze od koni pociągowych.

6. Próby zatrzymania dyliżansu podejmować pojedynczo, rzucając się między konie, tak by dać pocztylionowi szansę oddania celnego strzału i zostać następnie stratowanym przez zaprzęg.

7. Nigdy nie blokować dyliżansowi drogi dużą grupą, musiałby bowiem natychmiast się zatrzymać.

Napad na samotną farmę lub obwarowany wozami obóz

8. Nigdy nie napadać nocą, kiedy koloniści niczego się nie spodziewają. Trzymać się zasady, że Indianin dokonuje napadu wyłącznie w świetle dnia.

9. Nie szczędzić gardła i ujawniać głosem kojota swoją pozycję.

10. Kiedy jakiś biały wyda okrzyk kojota, natychmiast podnieść głowę, żeby stanowiła dogodny cel.

11. Galopować dookoła celu ataku, nie zacieśniając broń Boże kręgu, dzięki czemu będzie można wystrzelać was kolejno jak kaczki.

12. Nie rzucać do tego galopu wszystkich ludzi na raz; trzeba przecież zastępować kimś tych, którzy padną.

13. Nie zważając na brak strzemion, zaplątać jakoś nogi w uprząż, żeby koń mógł możliwie najdłużej wlec Indianina, który zostanie trafiony.

14. Używać strzelb, które nabyliście od nieuczciwego

handlarza i którymi nie umiecie się posługiwać. Nie spieszyć się z ich ładowaniem!

15. Nie przerywać galopu, kiedy zjawia się odsiecz, czekać na szarżę kawalerii, nie rzucać się na nią, natomiast już po pierwszym jej uderzeniu rozproszyć się na wszystkie strony, żeby umożliwić pościg za pojedynczymi Indianami.

16. W przypadku samotnej farmy posłać tam nocą jednego wywiadowcę. Wywiadowca ów ma podkraść się do oświetlonego okna i wpatrywać długo w białą niewiastę — do momentu, kiedy ona zauważy przyciśniętą do szyby indiańską twarz. Poczekać, aż krzyknie i wybiegną z domu mężczyźni. Dopiero w tym momencie można podjąć próbę ucieczki.

Napad na fort

17. Przede wszystkim doprowadzić do tego, żeby w nocy uciekły wszystkie konie. Nie wyłapywać ich. Niech rozbiegną się po prerii.

18. Jeśli w toku bitwy trzeba wdrapać się na umocnienia, niech jeden włazi na ramiona drugiego. Najpierw wystawić powolutku broń, potem głowę; ukazać się w odpowiednim momencie, gdyż biała niewiasta musi mieć wszak możliwość ujawnienia waszej obecności strzelcowi wyborowemu. Nie walić się do wnętrza fortu, lecz do tyłu, na zewnątrz.

19. Oddając strzał z daleka, stanąć na jakimś wierzchołku, żeby być doskonale widocznym i móc następnie runąć do przodu, roztrzaskując się o skały.

20. Jeśli dojdzie do walki bezpośredniej, celować bez pośpiechu.

21. W powyższym przypadku powstrzymać się od użycia rewolweru, który doprowadziłby przecież do

natychmiastowego rozstrzygnięcia. Sięgnąć po broń białą.

22. Jeśliby biali ważyli się dokonać wypadu, nie brać broni zabitego wroga. Tylko zegarek — i wsłuchiwać się w jego tykanie, dopóki nie zjawi się następny przeciwnik.

23. W razie pojmania jeńca nie zabijać go od razu, ale przywiązać do pala lub zamknąć w namiocie i czekać na nów księżyca, żeby wrogowie mogli go uwolnić.

24. Tak czy inaczej zawsze można mieć pewność, że zabije się nieprzyjacielskiego trębacza, gdy tylko rozlegnie się w oddali sygnałówka Siódmego Pułku Kawalerii. W tym momencie trębacz z fortu zawsze wstaje, żeby odpowiedzieć z najwyższej blanki fortu.

Inne przypadki

25. W razie ataku na wioskę indiańską opuszczać w popłochu namioty, a następnie biegać we wszystkie strony, próbując dotrzeć do broni, którą poprzednio umieściło się w trudno dostępnych miejscach.

26. Badać jakość whisky kupowanej od handlarzy; zawartość kwasu siarkowego w płynie winna wynosić jak trzy do jednego.

27. Kiedy przejeżdża pociąg, upewnić się, czy jest w nim łowca indiańskich skalpów, a następnie pędzić konno obok wagonów, wymachując strzelbami i wydając powitalne okrzyki.

28. Skacząc z góry na plecy białemu trzymać nóż tak, by nie dało się od razu zranić przeciwnika, dzięki czemu dojdzie do walki wręcz. Czekać, aż biały się obróci.

(1975)

JAK PISAĆ DO KATALOGU WYSTAWY

Poniższe zapiski mają być instrukcją dla autora katalogów artystycznych (w dalszym ciągu AKA). Uwaga: nie dotyczą krytyczno-historycznego eseju przeznaczonego dla specjalistycznego czasopisma, a to z rozmaitych i różnorodnych powodów, z których najważniejszy jest ten, że eseje krytyczne są czytane i oceniane przez innych krytyków, z rzadka zaś tylko przez poddanego analizie artystę, ten bowiem nie czytuje danego czasopisma, albo od dwóch wieków spoczywa w grobie. Sprawa jest diametralnie odmienna w przypadku katalogu wystawy sztuki współczesnej.

Jak stać się AKA? Jest to niestety bardzo łatwe. Wystarczy wykonywać jakiś zawód wymagający pracy umysłowej (bardzo poszukiwani są fizycy jądrowi i biolodzy), mieć telefon zarejestrowany na własne nazwisko oraz cieszyć się pewną renomą. Renomę ocenia się następująco: jej zasięg geograficzny winien przewyższać obszar oddziaływania wystawy (chodzi o renomę na skalę prowincji w przypadku miasta liczącego mniej niż siedemdziesiąt tysięcy mieszkańców, na skalę kraju w przypadku stolicy regionu i na skalę międzynarodową w przypadku stolicy niepodległego państwa — wyjąwszy San Marino i Andorrę), a w głąb — nie wykraczać poza granicę wyrobienia kulturalnego potencjalnych nabywców obrazów (jeśli w grę wchodzi wystawa pejzaży

11

alpejskich w stylu Segantiniego, nie ma potrzeby, a nawet byłoby to szkodliwe, być korespondentem *New Yorkera*, więcej pożytku będzie bowiem ze stanowiska dyrektora miejscowej szkoły pedagogicznej). Oczywiście musi się do nas zwrócić z prośbą artysta, ale tym akurat nie warto zaprzątać sobie głowy, jako że artystów szukających prezentera jest więcej niż potencjalnych AKA. Zważywszy na te okoliczności, wybór na AKA jest nieunikniony i niezależny od naszej woli. Jeśli tylko artysta upatrzy sobie przyszłego AKA, ten nie wykręci się od zadania, chyba że będzie wolał wyemigrować na inny kontynent. Kiedy już AKA pogodzi się ze swoim losem, stanie przed koniecznością rozważenia powodów, jakimi się kierował:

1) Pieniądze (niezwykle rzadko, gdyż nie brak, jak zobaczymy, motywacji mniej dla artysty kosztownych). 2) Rekompensata seksualna. 3) Przyjaźń; w dwóch wersjach: rzeczywista sympatia albo brak możliwości odrzucenia propozycji. 4) Podarunek w postaci dzieła artysty (ta motywacja nie pokrywa się zgoła z następną, to jest z podziwem dla artysty, można bowiem pragnąć dzieła sztuki jako towaru na sprzedaż). 5) Rzeczywisty podziw dla prac danego artysty. 6) Pragnienie sprzężenia swego nazwiska z nazwiskiem artysty. Jest to bajeczna wprost inwestycja w przypadku młodych intelektualistów, bo przecież artysta postara się już o to, żeby spopularyzować nazwisko AKA w niezliczonych bibliografiach dołączanych do następnych katalogów, które będą ukazywać się w kraju i za granicą. 7) Ideologiczne, estetyczne lub komercyjne zainteresowanie rozwojem danego prądu artystycznego albo danej galerii. Ten ostatni punkt jest najdelikatniejszy i dotyczy zawsze najbardziej kryształowo bezinteresownych AKA. Rzecz w tym, że krytyk literacki, filmowy lub teatralny, wynosząc pod niebiosa albo miażdżąc dzieło, o którym pisze,

w niewielkim stopniu wpływa na jego sukces. Krytyk literacki, pisząc przychylną recenzję, sprawi, że sprzedaż powieści wzrośnie o kilkaset egzemplarzy; krytyk filmowy może zjechać komedyjkę porno, ale film i tak przyniesie astronomiczne zyski. Podobnie jest z krytykiem teatralnym. Natomiast AKA jednym tekstem sprawia, że całe dzieło artysty jest częściej cytowane — czasem w grę wchodzi przebicie dziesięciokrotne.

Ta okoliczność określa także sytuację AKA jako krytyka. Krytyk literacki może wypowiadać się nieprzychylnie o autorze, którego nawet nie zna i który (zwykle) nie ma wpływu na to, czy artykuł ukaże się w tym a tym czasopiśmie; artysta zaś zamawia katalog i kontroluje jego zawartość. Nawet kiedy zwraca się do AKA z wezwaniem: „Bądź surowy", w istocie rzeczy takiej postawy nie da się utrzymać. Albo się odmawia, co, jak widzieliśmy, jest niemożliwe, albo przyjmuje postawę pełną wyrozumiałości. Albo stosuje uniki.

Właśnie dlatego, a także w zależności od tego, do jakiego stopnia AKA pragnie ocalić swoją godność i przyjaźń z artystą, tekst mglisty jest fundamentem katalogów wystawowych.

Wyobraźmy sobie teraz, że malarz o nazwisku Prosciuttini od trzydziestu lat maluje tło barwy ochry, a na nim umieszcza pośrodku błękitny trójkąt równoramienny o podstawie równoległej do południowej krawędzi obrazu, na ten zaś trójkąt nakłada przezroczysty czerwony trójkąt nieforemny, który jest pochylony w kierunku południowo-wschodnim w stosunku do podstawy trójkąta błękitnego. AKA będzie musiał uwzględnić fakt, że między rokiem 1950 a 1980 Prosciuttini, w zależności od okresu historycznego, dawał swoim dziełom następujące tytuły, wymienione tu w porządku chronologicznym: *Kompozycja, Dwa plus nieskończoność, $E = mc^2$ Allende, Allende, Chile się nie podda, Imię Ojca, Po/przez, Osobiste.*

Jakimi (uczciwymi) sposobami podejścia do kwestii dysponuje AKA? Jeśli jest poetą, bez trudu wybrnie z kłopotu: zadedykuje Prosciuttiniemu wiersz. Na przykład: „Niby strzała — (O, srogi Zenonie!) — Pęd — innego grotu — parasanga wytyczona — chorego kosmosu — czarnych dziur — wielobarwność". Takie rozwiązanie problemu zapewnia wzrost prestiżu AKA, Prosciuttiniego, właściciela galerii i nabywcy obrazu.

Drugie rozwiązanie jest zarezerwowane dla prozaików i przybiera postać listu otwartego, o swobodnym, katarynkowym toku: „Drogi Panie Prosciuttini, kiedy patrzę na Pańskie trójkąty, jestem znowu w Uqbar, świadkiem Jorge Luis... Jakby Pierre Menard podsuwał mi odtworzone formy z dawnych czasów, jakiś don Pitagoras z Manczy. Lubieżność obrócona o sto osiemdziesiąt stopni: czy możemy wyzwolić się z więzów Konieczności? Było to czerwcowego poranka, skąpane w słońcu pola; partyzant powieszony na słupie telefonicznym. Zielone lata, zwątpiłem w esencję Zasady..." I tak dalej, i tak dalej.

Łatwiejsze zadanie stoi przed AKA o wykształceniu ścisłym. Punktem wyjścia może być dla niego przekonanie, że obraz jest także elementem Rzeczywistości, wystarczy więc zastanowić się nad najgłębszymi aspektami rzeczywistości, a cokolwiek się napisze, będzie wolne od kłamstwa. Może więc snuć takie oto rozważania: „Trójkąty Prosciuttiniego to przykład grafów. Logiczne funkcje konkretnych topologii. Węzły. Jak przejść od danego węzła U do jakiegoś innego? Potrzebna jest, jak wiadomo, funkcja wartościująca F, i jeśli okaże się, iż $F(U)$ jest mniejsze lub równe $F(V)$, należy dla każdego innego rozważanego węzła V rozwinąć U tak, by generował węzły pochodne względem U. Wówczas wartościująca funkcja pierwotna spełni warunek, iż $F(U)$ jest mniejsze lub równe $F(V)$, takiego, że $D(U,Q)$ jest mniejsze lub równe D(V,Q), gdzie D(A,B) oznacza oczywiście odległość na grafie między A i B. Sztuka jest matematyką. Oto posłanie, jakie przekazuje nam Prosciuttini".

Na pierwszy rzut oka może się wydać, że tego rodzaju sposoby daje się stosować do obrazu abstrakcyjnego, ale nie do takiego Morandiego lub Guttusa. To błąd. Oczywiście wszystko jest w ręku człowieka nauki. Ograniczymy się do ogólnikowego wskazania: jeśli z odpowiednią metaforyczną dezynwolturą powołasz się na teorię katastrof René Thoma, bez trudu udowodnisz, że martwe natury Morandiego to formy zastygłe w stanie chwiejnej równowagi, i wystarczy maleńkie odchylenie, by naturalne kształty butelek wywinęły się poza siebie i wokół siebie, załamując się w punktach osobliwych, pękając niby kryształ poddany działaniu ultradźwięków; magia artysty to właśnie odtworzenie na płótnie tej sytuacji granicznej. Warto też poigrać z angielskim terminem oznaczającym martwą naturę: *still life. Still* jeszcze na jakiś czas, lecz jak długi? *Still-Until...* Magia różnicy między „bytem", a „bytem po".

Między rokiem 1968 a, powiedzmy, 1972 istniała jeszcze inna możliwość. Interpretacja polityczna. Uwagi na temat walki klas, rozkładu przedmiotów zbezczeszczonych wskutek komercjalizacji. Sztuka jako bunt przeciwko światu rzeczy na sprzedaż, trójkąty Prosciuttiniego jako formy odrzucające byt komercyjny, otwarte na twórczość proletariacką wywłaszczoną przez żarłoczny kapitalizm. Powrót do złotego wieku, czyli zapowiedź utopii, marzenie o Sprawie.

Wszystko, co powiedziano powyżej, odnosi się jednak do AKA, który nie jest zawodowym krytykiem sztuki. Sytuacja krytyka jest, jak by to powiedzieć, bardziej krytyczna. Musi przecież omówić dzieło, nie formułując jednak sądów wartościujących. Najdogodniejszy sposób na wybrnięcie z tego kłopotu, to wskazać, że artysta pracował w harmonii z dominującą wizją świata, to znaczy, jak powiada się dzisiaj, z Metafizyką Oddziaływania. Wszelka metafizyka oddziaływania to metoda zdawania sprawy z tego, co istnieje. Otóż nie ulega wątpliwości, że obraz należy do rzeczy, które istnieją, i że choćby był nie wiem jak podły, jakoś tam przedstawia to, co istnieje (nawet obraz abstrakcyjny przedstawia to, co może istnieć albo istnieje w uniwersum czystych form). Skoro metafizyka oddziaływania utrzymuje na przykład, iż wszystko, co istnieje, jest tylko energią, stwierdzenie, że obraz Prosciuttiniego to energia i że przedstawia energię, nie stanowi zgoła kłamstwa; co najwyżej banał, ale banał, który ratuje krytyka z opresji, a uszczęśliwia Prosciuttiniego, właściciela galerii i nabywcę obrazu.

Jedyna trudność sprowadza się do wyodrębnienia tej metafizyki oddziaływania, o której w danym okresie wszyscy coś słyszeli ze względu na jej popularność. Owszem, można utrzymywać za Berkeleyem, że *esse est percipi*, i oznajmić, że dzieła Prosciuttiniego istnieją, ponieważ są postrzegane, lecz wspomniana metafizyka jest niewystarczająco metafizyką oddziaływania, więc Prosciuttini i czytelnicy dostrzegliby nadmierną banalność twierdzenia.

Jeśliby więc trójkąty Prosciuttiniego miały być wystawione u schyłku lat pięćdziesiątych, należałoby, powołując się na skrzyżowane wpływy Banfiego—Paciego i Sartre'a—Merleau—Ponty'ego (a w punkcie kulminacyjnym na nauczanie Husserla), określić rzeczone trójkąty jako „reprezentację samego aktu zamierzania czegoś, który to akt, ustanawiając obszary ejdetyczne, nadaje formom czysto geometrycznym modalność Lebenswelt". W tamtym okresie dopuszczalne byłyby również wariacje w terminach psychologii postaci. Stwierdzenie, że trójkąty Prosciuttiniego kryją w sobie Gestalt, jest niepodważalne, gdyż każdy trójkąt, jeśli tylko da się rozpoznać jako trójkąt, kryje w sobie Gestalt. W latach sześćdziesiątych Prosciuttini byłby bardziej *up to date*, gdyby w jego dziełach dostrzeżono pewną strukturę homologiczną z *pattern* struktur pokrewieństwa Lévi-Straussa. Jeśliby ktoś zapragnął poruszać się między strukturalizmem a rokiem sześćdziesiątym ósmym, mógłby oznajmić, że zgodnie ze sformułowaną przez Mao teorią sprzeczności, która kojarzy heglowską triadę z binarnymi zasadami Yin i Yang, dwa trójkąty Prosciuttiniego uwypuklają relację między sprzecznością pierwotną a wtórną. Proszę nie sądzić, że kanon strukturalistyczny jest bezużyteczny w przypadku butelek Morandiego: butelka głęboka (*deep bottle*) przeciwko butelce powierzchownej.

Po roku siedemdziesiątym krytyk ma większe możliwości wyboru. Oczywiście trójkąt błękitny przeniknięty trójkątem czerwonym to epifania Pragnienia goniącego za Innym, z którym nigdy nie zdoła się utożsamić. Prosciuttini to malarz Odmienności, a nawet Odmienności w Tożsamości. Odmienność w tożsamości występuje także w relacji „głowa-krzyż" na stulirowej monecie, ale z trójkątów Prosciuttiniego da się wyodrębnić przypadek Implozji, podobnie jest zresztą z drugiej strony z obrazami Pollocka i wprowadzaniem czopków do odbytnicy (czarne dziury). Jednak w przypadku trójkątów Prosciuttiniego mamy ponadto wzajemną redukcję wartości użytkowej i handlowej.

Jeśli dorzuci się roztropnie skojarzenie z Odmiennością od uśmiechu Giocondy, w którym, przechyliwszy głowę, da się rozpoznać srom niewieści, a w każdym razie jest on *béance*, trójkąty Prosciuttiniego w swoim wzajemnym unicestwianiu się i „katastroficznym" wirowaniu mogą jawić się jako implozyjność fallusa, który przeobraża się w vagina dentata. Upadek Fallusa. Zakończmy stwierdzeniem, że w sumie złotą regułą AKA winno być omówienie dzieła w taki sposób, by opis stosował się nie tylko do innych obrazów, ale również do uczuć, jakich się doświadcza patrząc na wystawę wędliniarni. Jeśli AKA pisze: „W obrazach Prosciuttiniego percepcja form nigdy nie jest biernym dostosowaniem do danych zmysłowych. Prosciuttini mówi nam, że nie ma percepcji bez interpretacji i trudu, a droga od wrażenia do percepcji wiedzie przez działanie, praksis, bycie-w-świecie jako konstrukcja Abschattungen, wykrojona intencjonalnie z miazgi rzeczy w sobie", czytelnik uznaje prawdę Prosciuttiniego, ponieważ jest zgodna z mechanizmami, dzięki którym odróżnia się u masarza mortadelę od sałatki jarzynowej.

Prowadzi to do ustanowienia nie tylko kryterium wykonalności i skuteczności, ale także kryterium moralnego: wystarczy mówić prawdę. Oczywiście są różne prawdy.

(1980)

Suplement

Poniższy tekst wyszedł naprawdę spod mojego pióra i prezentuje dorobek malarski Antonia Fomeza zgodnie z regułami postmodernistycznego cytacjonizmu (zob. Antonio Fomez, Da Ruoppolo a me, Studio Annunciata, Mediolan *1982).*

Pragnąc przekazać czytelnikowi (w związku z pojęciem „czytelnik" por. D. Coste, „Three concepts of the reader and their contribution to a theory of literary texts", *Orbis literarum* 34, 1880; W. Iser, *Der Akt des Lesens*, Monachium 1972; *Der implizite Leser*, Monachium 1976; U. Eco, *Lector in fabula*, Mediolan 1979; G. Prince, „Introduction à l'étude du narrataire", *Poétique* 14, 1973; M. Nojgaard, „Le lecteur et la critique", *Degrés* 21, 1980) garść świeżych intuicji (por. B. Croce, *Estetica come scienza dell'espressione e linguistica generale*, Bari 1902; H. Bergson, *Oeuvres*, Édition du Centenaire, Paryż 1963; E. Husserl, *Ideen zu einer Phänomenologie und phänomenologischen Philosophie*, Den Haag 1950), w związku z malarstwem (odnośnie pojęcia „malarstwo" por. Cennino Cennini, *Trattato della pittura*; Bellori, *Vite d'artisti*; Vasari, *Le vite*; AA.VV., *Trattati d'arte del Cinquecento*, opr. P. Barocchi, Bari 1960; Lomazzo, *Trattato dell'arte della pittura*; Alberti, *Della pittura*; Armenini, *D' veri precetti della pittura*; Baldinucci, *Vocabolario toscano dell'arte del disegno*; S. van Hoogstraaten, *Inleyding tot de Hooge Schoole der Schilderkonst*, 1678, VIII, 1, ss. 279nn.; L. Dolce, *Dialogo della pittura*; Zuccari, *Idea de' pittori*) Antonia Fomeza (jeśli chodzi o bibliografię ogólną, por. G. Pedicini, *Fomez*, Mediolan 1980, zwłaszcza ss. 60—90), muszę podjąć próbę analizy (por. H. Putnam, „The analytic and the synthetic", w: *Mind, language, and reality*, 2, Londyn-Cambridge 1975;

M. White, wyd., *The age of analysis*, Nowy Jork 1955) w formie (por. W. Köhler, *Gestalt Psychology*, Nowy Jork 1947; P. Guillaume, *La psychologie de la forme*, Paryż 1937) całkowicie naiwnej i wyzbytej uprzedzeń (por. J. Piaget, *La représentation du monde chez l'enfant*, Paryż 1955); G. Kanizsa, *Grammatica del vedere*, Bolonia 1981). Jest to jednak rzecz (odnośnie rzeczy w sobie por. I. Kant, *Kritik der reinen Vernunft*, 1781—1787) niezmiernie trudna na tym świecie (por. Arystoteles, *Metafizyka*) postmodernistycznym (por.por. ((por. (((por. por.)))))). Dlatego nie robi się nic (por. Sartre, *L'être et le néant*, Paryż 1943). Pozostaje milczenie (Wittgenstein, *Tractatus*, 7). Przepraszam, może innym (por. J. Lacan, *Écrits*, Paryż 1966) razem (por. Viollet-le- Duc, *Opera omnia*).

JAK URZĄDZIĆ BIBLIOTEKĘ PUBLICZNĄ

1. Katalog winien być poszatkowany na jak najwięcej działów; należy z wielką pieczołowitością oddzielić katalog książek od katalogu czasopism, oba zaś od katalogu rzeczowego, jak również książki ostatnio nabyte od tych, które zakupiono dawniej. Ortografia w obu tych katalogach (nabytków nowych i dawnych) winna być w miarę możliwości zróżnicowana; na przykład w nabytkach nowych *retoryka* pisze się przez jedno t, a w dawnych — przez dwa; *Czajkowski* w nabytkach nowych przez Cz, w dawnych — z francuska, przez Tsch.

2. Tematy ma określać bibliotekarz. Książki nie powinny zawierać w kolofonie wskazówki co do tematu, pod jakim należałoby je zakatalogować.

3. Sygnatury winny być niemożliwe do przepisania, w miarę możliwości rozbudowane, aby ten, kto wypełnia rewers, nie miał nigdy dość miejsca na wypisanie ostatnich symboli i uznał je za nieważne, a dzięki temu obsługujący mógł zwrócić rewers z żądaniem uzupełnienia.

4. Czas między zamówieniem a dostarczeniem książki winien być bardzo długi.

5. Nie ma potrzeby wypożyczać więcej niż jedną książkę na raz.

6. Książki, dostarczone przez obsługę dzięki wypisaniu przez czytelnika odpowiedniego rewersu, nie mogą być

przenoszone do biblioteki podręcznej, tak więc należy oddzielić w swoim życiu dwa fundamentalne aspekty: jeden dotyczący lektury, drugi — sprawdzania. Biblioteka ma zniechęcać do jednoczesnego czytania kilku książek, bo od tego można przecież dostać zeza.

7. Unikać wyposażenia biblioteki w jedną chociażby kopiarkę; jeśli jednak jakaś już się znajdzie, dostęp do niej ma być pracochłonny i kłopotliwy, cena wyższa niż w mieście, limity bardzo niskie, co najwyżej dwie, trzy stroniczki.

8. Bibliotekarz winien uważać czytelnika za wroga, nieroba (w przeciwnym razie byłby bowiem w pracy), za potencjalnego złodzieja.

9. Dział informacji winien być nieosiągalny.

10. Należy zniechęcać do wypożyczania.

11. Wypożyczanie międzybiblioteczne winno być maksymalnie utrudnione, a w każdym razie wymagać całych miesięcy czekania. Najlepiej jednak zadbać o to, żeby zapoznanie się ze stanem posiadania innych bibliotek było niemożliwe.

12. W konsekwencji tego wszystkiego kradzież książek winna być ułatwiona.

13. Godziny otwarcia biblioteki winny dokładnie pokrywać się z godzinami pracy, przedyskutowanymi wcześniej z przedstawicielami związków zawodowych; biblioteka ma być poza tym zaryglowana na cztery spusty w soboty, niedziele oraz w porze obiadowej. Największym wrogiem biblioteki jest pilny student; najlepszym przyjacielem — Don Ferrante, człowiek, który ma własną bibliotekę, nie musi więc chodzić do biblioteki publicznej, której zapisuje jednak swój księgozbiór.

14. Winno być całkowicie niemożliwe zjedzenie czegokolwiek w obrębie biblioteki; w żadnym razie nie może być mowy o posilaniu się poza biblioteką, jeśli nie zwróci

się wszystkich książek, z których się korzysta, tak by po wypiciu kawy trzeba było zamówić je od nowa.

15. Nie dopuszczać do odzyskania następnego dnia czytanej książki.

16. Niemożliwe winno być uzyskanie informacji, kto wypożyczył brakującą książkę.

17. Jeśli się tylko uda — żadnych ubikacji.

18. W sytuacji idealnej czytelnika powinien obowiązywać zakaz wstępu do biblioteki; zakładając jednak, że do niej wtargnął, nadużywając w małostkowy i mało sympatyczny sposób swobód przyznanych mu wprawdzie przez Wielką Rewolucję, lecz nie przyswojonych jeszcze przez zbiorową wrażliwość, w żadnym razie nie może, i nigdy nie będzie mógł mieć dostępu do półek z książkami — jeśli pominie się prawo do pospiesznego przemknięcia przez bibliotekę podręczną.

UWAGA DODATKOWA. Cały personel winien być dotknięty ułomnościami fizycznymi, albowiem obowiązkiem społeczeństwa jest zapewnienie pracy obywatelom niepełnosprawnym (bada się obecnie możliwość objęcia tą zasadą także straży pożarnej). Idealnym bibliotekarzem byłby ktoś chromy, gdyż dzięki temu uzyskuje się wydłużenie czasu potrzebnego na zejście do podziemi i powrót. Jeśli chodzi o te osoby z personelu, które wspinają się po drabinie do półek znajdujących się na wysokości ośmiu metrów, winny zamiast ręki mieć protezę z hakiem, a to ze względów bezpieczeństwa. Personel całkowicie pozbawiony kończyn górnych nosi książki w zębach (panuje tendencja, żeby nie udostępniać tomów o formacie większym niż ósemkowy).

(1981)

JAK ROZUMNIE SPĘDZAĆ WAKACJE

Kiedy zbliżają się letnie wakacje, chwalebny zwyczaj nakazuje tygodnikom politycznym i kulturalnym podsunąć swoim czytelnikom co najmniej dziesięć mądrych książek, które pozwolą im rozumnie spędzić rozumne wakacje. Przeważa jednak nieprzyjemny zwyczaj nakazujący traktować czytelnika jak osobę niedorozwiniętą i nawet sławni pisarze starają się proponować książki, które ludzie o średnim wykształceniu powinni byli przeczytać najpóźniej przed maturą. Wydaje się nam czymś obraźliwym, a przynajmniej poklepywaniem czytelnika po ramieniu, doradzanie mu, bo ja wiem, niemieckiego oryginału *Powinowactwa z wyboru*, Prousta w wydaniu Pléiade albo łacińskich utworów Petrarki. Musimy uwzględnić fakt, że czytelnik, od tak dawna zasypywany tego rodzaju radami, musi stawać się coraz bardziej wymagający, a jednocześnie nie możemy tracić z oczu tych, którzy nie mogąc sobie pozwolić na kosztowne wakacje, gotowi są przeżyć przygodę niedrogą i podniecającą.

Komuś, kto zamierza spędzać długie godziny na plaży, doradzałbym *Ars magna lucis et umbrae* ojca Athanasiusa Kirchera, rzecz fascynującą dla czytelnika, który wystawiwszy się na działanie promieni podczerwonych, zechce zadumać się nad cudownością światła i zwierciadeł. Rzymskie wydanie z 1645 roku jest nadal dostępne w antykwariatach, za sumy bezspornie niższe od tych, jakie Calvi wyeksportował do Szwajcarii. Nie zalecałbym wypożyczania tej pozycji z biblioteki, ponieważ można ją znaleźć jedynie w zabytkowych pałacach, gdzie personel biblioteczny składa się zwykle z ludzi bez prawej ręki i lewego oka, którzy spadają z drabiny, kiedy pną się ku półkom z cymeliami. Dalszą niedogodnością są mole książkowe oraz kruchość kart, nie należy więc czytać takiego dzieła, kiedy wiatr porywa plażowe parasole.

Młodzieniec, który podróżuje po Europie z okresowym biletem kolejowym drugiej klasy w kieszeni, narażony jest więc na lekturę w zatłoczonym pociągu, gdzie stoi się wystawiając jedną rękę za okno, mógłby zabrać ze sobą przynajmniej trzy z sześciu wydanych u Einaudiego tomów Ramusia, które można doskonale czytać trzymając jeden w ręku, drugi pod pachą, a trzeci między udami. Czytanie w trakcie podróży o podróży to przeżycie bardzo intensywne i pobudzające.

Młodzieńcom, którzy wyrwali się ze szponów polityki (albo się do niej rozczarowali), a mimo to pragną być na bieżąco w sprawach Trzeciego Świata, proponowałbym jakieś arcydzieło filozofii muzułmańskiej. Adelphi opublikował ostatnio *Księgę rad*, której autorem jest Kay Ka'us ibn Iskandar, lecz niestety w tym wydaniu zrezygnowano z oryginału irańskiego, przez co gubi się oczywiście cały smak tekstu. Godnym natomiast polecenia dziełem jest *Kitab al-s'ada wa'L is'ad* Abul'l-Hasana Al'Amiriego, dostępne w Teheranie w wydaniu krytycznym z 1957 roku.

Ponieważ jednak nie wszyscy czytają swobodnie w językach Bliskiego Wschodu, dla tych, którzy wędrują samochodem, a nie mają kłopotów z nadmiernym bagażem, doskonała byłaby, jak mniemam, kompletna *Patrologia* Migne'a. Odradzałbym pisma ojców greckich przed Soborem Florenckim z 1440 roku, gdyż trzeba by zabrać ze sobą 161 woluminów wydania grecko-łacińskiego i 81 wydania łacińskiego, gdy tymczasem, decydując się na ojców łacińskich sprzed 1216 roku, wystarczy zabrać 218 woluminów. Zdaję sobie sprawę, że nie wszystkie tomy są dostępne na rynku, od czego jednak fotokopiarki! Tym, którzy mają zainteresowania mniej specjalistyczne, doradzałbym lekturę (oczywiście w oryginale) paru solidniejszych dzieł wywodzących się z tradycji kabalistycznej (są w dzisiejszych czasach niezbędne dla zrozumienia nowoczesnej poezji). Wystarczy kilka pozycji: naturalnie *Sepher Jezirah*, *Zohar*, Mojżesz Kordowero i Izaak Luria. Zestaw kabalistyczny nadaje się zresztą wspaniale do wykorzystania w działalności Klubów Śródziemnomorskich, których animatorzy mogą utworzyć dwie grupy współzawodniczące ze sobą w budowaniu jak najsympatyczniejszego Golema. A wreszcie tym, którzy mają trudności z hebrajskim, pozostaje zawsze *Corpus hermeticum* i pisma gnostyczne (lepiej wybrać Walentyna, gdyż Bazylides jest często zbyt rozwlekły i irytujący).

To wszystko (i o wiele więcej) polecałbym ludziom spragnionym wakacji rozumnych. W przeciwnym razie nie ma dyskusji, zabierajcie ze sobą *Grundrisse*, Ewangelie apokryficzne i inedita Peirce'a na mikrofilmach. W końcu tygodniki kulturalne nie są periodykami dla szkoły podstawowej.

(1981)

JAK WYROBIĆ SOBIE NOWE PRAWO JAZDY

W maju 1981 roku jestem przejazdem w Amsterdamie, gdzie gubię (albo kradną mi w tramwaju, jako że nawet w Holandii są kieszonkowcy) portfel, w którym było niewiele pieniędzy, ale za to rozmaite legitymacje i dokumenty. Spostrzegam to w chwili wyjazdu, już na dworcu lotniczym; od razu też zauważam brak karty kredytowej. Pół godziny przed odlotem ruszam więc na poszukiwanie posterunku, żeby zgłosić zgubę, pięć minut później przyjmuje mnie sierżant policji dworcowej, który dobrą angielszczyzną wyjaśnia, że sprawa nie należy do jego kompetencji, ponieważ portfel został zgubiony w mieście, godzi się jednak wystukać na maszynie moje zgłoszenie, zapewnia, że o dziewiątej, zaraz po otwarciu biur, osobiście zadzwoni do American Express, i w ciągu dziesięciu minut załatwia holenderską stronę mojej sprawy. Po powrocie do Mediolanu dzwonię do American Express, wszyscy dowiadują się, jaki był numer mojej karty, następnego dnia mam już nową. Jakże piękne jest życie w cywilizowanym świecie — powiadam sobie.

Następnie dokonuję przeglądu zgubionych legitymacji i składam odpowiednie oświadczenie na policji. Zajmuje mi to dziesięć minut. Wspaniale — mówię sobie — nasza policja nie ustępuje w niczym holenderskiej. Wśród straconych dokumentów była legitymacja dziennikarska, po trzech dniach otrzymuję duplikat. Idzie jak z płatka.

Niestety zgubiłem też prawo jazdy. Jestem przekonany, że to nic takiego. Sprawa ma związek z przemysłem samochodowym, nasza przyszłość to Ford, jesteśmy krajem autostrad. Telefonuję do Automobile Club, gdzie oznajmiają, że wystarczy, bym podał numer zgubionego dokumentu. Spostrzegam, że nigdzie nie jest zapisany, poza oczywiście samym prawem jazdy, i próbuję dowiedzieć się, czy nie mogliby zajrzeć do kartoteki pod moje nazwisko i znaleźć ten numer. Wygląda jednak, że nie da się tego zrobić.

Muszę korzystać z samochodu, to sprawa życia i śmierci, postanawiam więc zrobić coś, czego zwykle się wystrzegałem, a mianowicie osiągnąć cel drogami okrężnymi, dostępnymi dla nielicznych. Zwykle wystrzegam się tego, bo nie chcę naprzykrzać się przyjaciołom i znajomym, boję się bowiem, że to samo mogłoby spotkać mnie z ich strony, zresztą mieszkam przecież w Mediolanie, a kiedy w Mediolanie chce się uzyskać jakiś dokument od władz miasta, nie trzeba telefonować do burmistrza, wystarczy stanąć w kolejce do okienka, w którym sprawa zostanie sprawnie załatwiona. Ale tak to już jest, samochód nam wszystkim działa na nerwy, dzwonię więc do Rzymu do grubej ryby z Automobile Club, ta zaś kieruje mnie do innej grubej ryby, ale z mediolańskiego Automobile Club, mediolańska gruba ryba poleca zaś swojej sekretarce zrobić w mojej sprawie wszystko co się da. Sekretarka jest bardzo miła, lecz może zrobić bardzo mało.

Zapoznaje mnie z paroma sztuczkami, namawia, żebym poszukał starego pokwitowania z firmy AVIS, wynajmującej samochody, gdyż wpisano na nim przez kalkę numer prawa jazdy; dzięki jej pomocy mogę uporać się w ciągu jednego dnia z czynnościami wstępnymi, teraz więc kieruje mnie tam, dokąd należy się udać, to znaczy do odpowiedniego wydziału prefektury, ogromnego holu, gdzie tłoczy się zdesperowany i cuchnący tłum, przypomina to dworzec w New Delhi z filmu o buncie sipajów; petenci, opowiadający sobie historie, od których włos się jeży („jestem tu od czasów wojny w Libii"), obozują z termosami i kanapkami, a kiedy przychodzi ich kolej, okienko się zamyka — co zdarzyło się właśnie mnie. Tak czy inaczej, muszę powiedzieć, że trzeba poświęcić parę dni na stanie w kolejce, przy czym za każdym razem, kiedy człowiek dociera do okienka, okazuje się, że musi wypełnić inny formularz albo kupić innego rodzaju znaczki skarbowe, a potem stanąć grzecznie na końcu ogonka, co jednak, jak wiadomo, należy do porządku rzeczy. Wszystko dobrze — mówią mi w końcu — proszę stawić się za dwa tygodnie. Do tego czasu pozostaje taksówka.

Dwa tygodnie później, przeskoczywszy paru petentów, którzy poddali się i zapadli w śpiączkę przedśmiertną, dowiaduję się w okienku, że z powodu bądź to błędnego zapisu, bądź wady kalki, bądź wreszcie stanu starego już dokumentu numer odczytany z rachunku firmy AVIS jest niewłaściwy. Nic się nie da zrobić, jeśli nie podam numeru właściwego. „No dobrze — powiadam — z pewnością nie może pani szukać numeru, którego nie umiem podać, ale można przecież zajrzeć pod nazwisko Eco i ustalić ten numer". Nie, może wskutek złej woli, może nadmiaru pracy, a może tego, że prawa jazdy archiwizuje się według numerów, jest to niemożliwe. „Proszę spróbować — radzą mi — w Alessandrii, gdzie wiele lat temu robił pan prawo jazdy. Tam powinni odnaleźć pański numer".

Nie mam czasu na jazdę do Alessandrii — między innymi dlatego, że nie mogę prowadzić samochodu — tak więc raz jeszcze wybieram drogę na skróty: telefonuję do kolegi z liceum, który jest teraz grubą rybą w tamtejszych finansach, i proszę, by zadzwonił do wydziału ruchu. Kolega podejmuje decyzję równie nikczemną i telefonuje bezpośrednio do grubej ryby z ruchu, która wyjaśnia, że tego rodzaju dane można ujawniać wyłącznie policji. Zdajesz sobie sprawę, czytelniku, na jakie niebezpieczeństwo naraziłyby się organa państwowe, gdyby numer mojego prawa jazdy można było podać pierwszemu lepszemu osobnikowi; Kadafi i KGB tylko na to czekają. Tak więc jest to informacja ściśle tajna.

Sięgam znowu pamięcią wstecz i przypominam sobie innego kolegę ze szkoły, który jest teraz grubą rybą w organach państwowych, ale sugeruję mu, żeby nie zwracał się do osób wysoko postawionych w służbach ruchu, gdyż sprawa jest niebezpieczna i mogłaby trafić do komisji parlamentarnej. Lepiej znaleźć jakiegoś funkcjonariusza niskiej rangi, choćby nocnego stróża, którego dałoby się przekupić, żeby w czasie służby zerknął do kartotek. Gruba ryba z organów państwowych zna na szczęście osobistość średniej rangi w służbie ruchu, człowieka, którego nie trzeba przekupywać, gdyż jest stałym czytelnikiem *L'Espresso* i z czystej miłości dla kultury gotów jest oddać tę niebezpieczną przysługę swojemu ulubionemu felietoniście (czyli mnie). Nie wiem, jakie posunięcie wykonał ten śmiałek, jest jednak faktem, że następnego dnia mam już numer mojego prawa jazdy, numer, którego pozwolę sobie jednak nie wyjawić czytelnikom, gdyż mam rodzinę.

Z owym numerem (który teraz zapisuje gdzie tylko się da i chowam w skrytkach na wypadek kradzieży albo zgubienia) wystaję znowu w ogonkach w mediolańskim wydziale ruchu i wreszcie ukazuję go podejrzliwym oczom urzędnika, ten zaś z uśmiechem pozbawionym śladu ludzkich uczuć komunikuje mi, że muszę ujawnić jeszcze numer pisma, którym w odległych latach pięćdziesiątych władze alessandryjskie przekazały numer prawa jazdy władzom mediolańskim.

Znowu telefony do kolegów szkolnych, nieszczęsna

osobistość średniego szczebla, która tyle już ryzykowała, raz jeszcze bierze zadanie na swoje barki, popełnia parę tuzinów przestępstw, wydobywa informację tak zazdrośnie strzeżoną przez karabinierów i podaje mi numer pisma, ja zaś ukrywam natychmiast te cyfry, gdyż, jak wiadomo, ściany mają uszy.

Wracam do mediolańskiego wydziału, jeszcze tylko parę dni w ogonku i uzyskuję obietnicę, że za dwa tygodnie zaczarowany dokument znajdzie się w moich rękach. Mamy czerwiec w pełni, wreszcie dostaję papier, który poświadcza, że złożyłem podanie o wystawienie prawa jazdy. Oczywiście nie przewidziano żadnego kwestionariusza uwzględniającego przypadek zgubienia cennego dokumentu i wręczony mi formularz jest zgłoszeniem na naukę dla kogoś, kto prawa jazdy jeszcze nie posiada. Pokazuję go policjantowi i pytam, czy z czymś takim mogę prowadzić samochód, ale wyraz jego twarzy wprawia mnie w przygnębienie: daje mi do zrozumienia, że gdyby on przyłapał mnie za kierownicą, pożałowałbym, iż przyszedłem na świat.

Rzeczywiście żałuję i wracam do urzędu, gdzie po kilku dniach dowiaduję się, że papier, który otrzymałem, jest, by tak rzec, ledwie apéritifem; muszę poczekać na następny dokument, poświadczający, że zgubiłem prawo jazdy i mogę prowadzić samochód, dopóki nie uzyskam duplikatu, ponieważ władze sprawdziły już, że miałem oryginał. Tę informację posiadają wszyscy, od policji holenderskiej do kwestury włoskiej, a także urząd wydający prawa jazdy, który jednak nie chce podać jej do publicznej wiadomości, dopóki sprawy nie przemyśli. Proszę zauważyć, że urząd dysponuje już całą wiedzą, jakiej potrzebuje, i choćby nie wiem jak długo myślał nad sprawą, niczego więcej się nie dowie. Ale cierpliwości. Pod koniec czerwca przychodzę wielokrotnie, żeby uzyskać jakieś informacje o losach duplikatu, ale wygląda na to, że jego przygotowanie wymaga wielkiego nakładu pracy, jestem skłonny w to uwierzyć, gdyż żądają ode mnie mnóstwa dokumentów i fotografii; ta legitymacja musi być czymś w rodzaju paszportu o stronicach opatrzonych znakami wodnymi lub czymś podobnym. Ponieważ wydałem już oszałamiające sumy na taksówki, z końcem czerwca zaczynam rozglądać się znowu za drogą na skróty. Piszę do gazet, może, do licha, ktoś zechce mi pomóc pod pretekstem, że muszę jeździć samochodem ze względu na dobro publiczne. Za pośrednictwem dwóch mediolańskich redakcji (*Repubblica* i *L'Espresso*) nawiązuję kontakt z wydziałem prasowym prefektury, a tam poznaję sympatyczną panią, która deklaruje gotowość zajęcia się moją sprawą. Sympatyczna pani ani myśli trwonić czasu przy telefonie; śmiałym krokiem podąża do wydziału komunikacyjnego i penetruje tajne obszary, do których profani nie mają dostępu, szpera w labiryncie pism spoczywających tam od niepamiętnych czasów. Co dokładnie tam robi — nie mam pojęcia (słyszę tylko zduszone okrzyki, huk walących się akt, przez szparę u dołu drzwi dobywają się kłęby kurzu). Wreszcie pani staje na progu, dzierży w dłoni żółty formularz na papierze delikatnym jak kartki, które obsługa parkingów wkłada pod wycieraczki, o wymiarach osiemnaście na trzydzieści centymetrów. Formularz jest bez fotografii, wypełniony atramentem, który rozlewa się, jakby stalówkę Perry maczano w kałamarzu typu *Cuore*, pełnym mętów i zawiesin odpowiedzialnych za kleksy na porowatym papierze. Jest tam moje nazwisko oraz numer zgubionego prawa jazdy, pismem maszynowym zaś podano do wiadomości, że niniejsze zaświadczenie zastępuje „wyżej opisane" prawo jazdy, ale jego ważność wygasa z dniem dwudziestego dziewiątego grudnia (data została oczywiście dobrana w ten sposób, żeby ofiara pokonywała właśnie zakręty w jakiejś alpejskiej miejscowości, najlepiej podczas zamieci śnieżnej, daleko od domu, gdyż wtedy policja drogowa będzie miała pełne prawo aresztować ją i poddać torturom).

Zaświadczenie umożliwia mi prowadzenie samochodu we Włoszech, podejrzewam jednak, że wprawiłoby w zakłopotanie policjanta, któremu okazałbym je za granicą. Cierpliwości. Na razie mogę jeździć. Streszczając się, powiem tylko, iż w grudniu mojego prawa jazdy nadal nie ma, napotykam na opór, kiedy chcę przedłużyć zaświadczenie, raz jeszcze wzywam na pomoc wydział prasowy prefektury, odzyskuję swoje zaświadczenie, na którym ktoś niepewną ręką dopisał to, co mógłbym dopisać sobie sam, a mianowicie, że zostało przedłużone do czerwca następnego roku (tym razem datę dobrano tak, by można mnie było przyłapać podczas jazdy wzdłuż wybrzeża), ponadto zaś udziela mi się informacji, że w czerwcu ważność zaświadczenia zostanie przedłużona, gdyż sprawa wydania nowego prawa jazdy musi potrwać dłużej. Towarzysze niedoli poznani w ogonkach donoszą załamanymi głosami, że są tacy, którzy czekają dwa albo trzy lata na nowe prawo jazdy.

Przedwczoraj przykleiłem do zaświadczenia znaczek skarbowy za rok. Właściciel sklepu z tytoniem doradził mi, bym go nie stemplował, bo przecież, kiedy przyślą mi prawo jazdy, będę musiał kupić następny. Wydaje mi się jednak, że nieostemplowanie oznaczałoby naruszenie prawa.

W tym miejscu nasuwają mi się trzy uwagi. Po pierwsze, jeśli zaświadczenie uzyskałem po dwóch miesiącach, to tylko dlatego, że wykorzystałem szereg przywilejów, jakimi cieszę się dzięki statusowi społecznemu i wykształceniu, że udało mi się zaangażować w sprawę kilka ważnych osobistości z trzech miast, sześciu instytucji państwowych i prywatnych, a ponadto jeden dziennik i jeden tygodnik, oba o zasięgu ogólnokrajowym. Gdybym był sklepikarzem albo urzędnikiem, musiałbym kupić sobie rower. Żeby mieć prawo jazdy, trzeba być Licio Gellim.

Druga uwaga to ta, że zaświadczenie, które przechowuję pieczołowicie w portfelu, jest papierem bezwartościowym, łatwiutkim do podrobienia i że w naszym kraju mnóstwo kierowców prowadzi samochody, chociaż nie sposób mieć zaufania do ich dokumentów. Trzecia uwaga wymaga od czytelnika koncentracji i wyobrażenia sobie prawa jazdy. Zważywszy, że otrzymuje się je dzisiaj bez okładki, którą należy samemu sobie kupić, prawo jazdy to dwu- lub trzystronicowy zeszycik z fotografią, wydrukowany na podłym papierze. Te zeszyciki nie są produkowane w Fabriano jak książki Franca Marii Ricciego, nie są z papieru ręcznie czerpanego przez biegłych rzemieślników, można wydrukować je w pierwszej lepszej drukarni, a od czasów Gutenberga cywilizacja zachodnia jest w stanie wyprodukować wiele ich tysięcy w ciągu niewielu godzin (z drugiej strony już Chińczycy wynaleźli dosyć szybkie metody kopiowania pisma odręcznego).

Czego więc trzeba, żeby przygotować tysiące takich zeszycików, przykleić fotografię ofiary i wydawać je przy pomocy automatu? Co dzieje się w zakamarkach odpowiedniego urzędu?

Wszyscy doskonale zdajemy sobie sprawę z tego, że członek Czerwonych Brygad może mieć w ciągu paru godzin dziesiątki fałszywych praw jazdy, a proszę zważyć, iż sporządzenie fałszywego dokumentu jest bardziej pracochłonne niż wykonanie autentycznego. Jeśli więc nie chcemy, aby pozbawiony prawa jazdy obywatel zaczął uczęszczać do cieszących się złą sławą barów w nadziei nawiązania kontaktu z Czerwonymi Brygadami, mamy tylko jedno rozwiązanie: zatrudnić skruszonych członków Czerwonych Brygad w wydziale ruchu. Oni mają to, co nazywamy *know how*, nie brak im wolnego czasu, praca, jak wiemy, wyzwala człowieka, za jednym zamachem zwalnia się mnóstwo cel w więzieniach, osoby, które przymusowa gnuśność mogłaby pchnąć do niebezpiecznych mrzonek o wszechmocy, stają się społecznie użyteczne, oddaje się przysługę zarówno obywatelowi na czterech kółkach, jak psu o sześciu nogach.

Może to jednak zbyt proste. Zapamiętajcie moje słowa: za tą historią z prawem jazdy kryją się machinacje jakiegoś obcego mocarstwa.

(1982)

JAK KORZYSTAĆ Z INSTRUKCJI

Wszyscy ucierpieliśmy z powodu cukierniczek, które mają tę właściwość, że kiedy bywalec kawiarni nabiera cukier, wieczko opada niby gilotyna, wytrącając łyżeczkę z ręki, wskutek czego cukier rozsypuje się po otoczeniu. Wszyscy pomyśleliśmy, że wynalazca tego urządzenia powinien trafić do obozu koncentracyjnego. On jednak najprawdopodobniej korzysta z owoców swojej zbrodni, wylegując się na jakiejś ekskluzywnej plaży. Amerykański humorysta Shelley Berman wypowiedział pogląd, że ten sam człowiek wynajdzie wkrótce bezpieczne auto z drzwiczkami, które otwierają się tylko od wewnątrz.

Jeździłem przez kilka lat doskonałym pod wieloma względami samochodem, który miał jednak tę wadę, że popielniczka była umieszczona na lewych drzwiach. Wszyscy wiedzą, że prowadząc samochód trzyma się kierownicę lewą ręką, prawa zaś jest wolna i służy do zmiany biegów oraz uruchamiania różnych urządzeń. Jeśli ktoś pali siedząc za kierownicą (a przyznaję, że to brzydki nawyk), trzyma papierosa w prawej ręce. Jeśli w tej sytuacji chce się strzepnąć popiół na lewo od lewego ramienia, trzeba wykonać skomplikowaną operację, odrywając przy tym wzrok od jezdni. Jeśli samochód osiąga, jak to było w przypadku tego, o którym mówię, sto osiemdziesiąt kilometrów na godzinę, strząśnięcie popiołu do popielniczki wymaga rozproszenia na kilka sekund uwagi i oznacza grzech sodomii popełniony na TIR-ze. Projektant jest odpowiedzialny za śmierć wielu osób, i to nie z powodu raka płuc, lecz wskutek zderzenia z obcym ciałem.

Rozkoszuję się rozmaitymi komputerowymi programami edytorskimi. Kupując jeden z tych programów, otrzymuje się pakiecik z dyskietkami, instrukcję oraz licencję, co kosztuje od ośmiuset tysięcy do półtora miliona lirów, a następnie można skorzystać z pomocy instruktora zatrudnionego przez firmę lub nauczyć się czego trzeba samemu, z podręcznika. Instruktor jest zazwyczaj wyszkolony przez wynalazcę wspomnianej wyżej cukierniczki i najlepiej otworzyć do niego ogień z magnum, jak tylko postawi stopę w twoim domu. Dostaniesz za to dwadzieścia lat, może mniej, jeśli weźmiesz dobrego adwokata, ale zaoszczędzisz mnóstwo czasu.

Prawdziwej biedy napytasz sobie jednak biorąc do ręki podręcznik, a dodam, że moje spostrzeżenia odnoszą się do wszelkich podręczników omawiających wszelkie typy informatycznych artefaktów. Podręcznik komputerowy jawi się w kształcie plastikowej okładki o ostrych rogach, której nie można zostawiać w zasięgu dzieci. Kiedy wydobywasz podręczniki z okładek, robią wrażenie wielostronicowych ksiąg oprawionych w żelbeton, a więc nie nadających się do przenoszenia z saloniku do gabinetu, a na dodatek opatrzono je w takie tytuły, byś nie wiedział, od którego należy zacząć lekturę. Firmy mające mniejsze upodobanie do sadyzmu podsuwają na ogół dwa podręczniki, bardziej perwersyjne — cztery.

Na pierwszy rzut oka jeden omawia kwestie krok po kroku, żeby każdy głupi mógł zrozumieć, drugi jest przeznaczony dla ekspertów, trzeci dla zawodowców, i tak dalej. To wrażenie jest błędne. Każdy z nich bowiem omawia sprawy, które inny przemilcza, rady do natychmiastowego zastosowania znajdują się w podręczniku dla inżynierów, rady dla inżynierów w podręczniku dla głupców. Poza tym przewiduje się, że przez najbliższe dziesięć lat będziesz wzbogacał podręcznik, ma on więc postać segregatora z mniej więcej trzystoma luźnymi kartkami.

Każdy, kto miał do czynienia z segregatorami, wie, że wystarczy przekartkować je raz albo dwa, by dziurki się poprzerywały, w wyniku czego wkrótce segregator eksploduje i kartki fruwają po całym pokoju — nie wspominając już nawet o trudności, jaką sprawia odwracanie stron. Istoty ludzkie przywykły, szukając informacji, posługiwać się przedmiotami noszącymi nazwę książek, których strony miewają kolore brzeżki lub wcięcia jak w książce telefonicznej, dzięki czemu można szybko znaleźć to, czego się szuka. Autorzy podręczników komputerowych nie mają pojęcia o tym jakże ludzkim przyzwyczajeniu i podsuwają nam rzeczy, których trwałość obliczona jest na jakieś osiem godzin. Jedyne racjonalne rozwiązanie to rozebrać taki podręcznik, studiować go pół roku, korzystając z pomocy znajomego etruskologa, spisać treść na czterech fiszkach (w zupełności wystarczy), a sam podręcznik wyrzucić.

(1985)

JAK UNIKAĆ CHORÓB ZAKAŹNYCH

Wiele lat temu pewien aktor telewizyjny, nie kryjący się ze swoim homoseksualizmem, powiedział młodemu pieszczoszkowi, którego jawnie próbował uwieść: „Zadajesz się z kobietami? Nie wiesz, że grozi to rakiem?" To błyskotliwe powiedzonko jest nadal cytowane na korytarzach przy corso Sempione, ale teraz nie pora już na żarty. Przeczytałem, że zdaniem profesora Matrégo stosunek heteroseksualny może doprowadzić do zachorowania na raka. Najwyższy czas. Powiem więcej: stosunek heteroseksualny to najkrótsza droga do śmierci; przecież nawet dziecko wie, że ma on na celu prokreację, a im więcej ludzi się rodzi, tym więcej umiera.

Psychoza AIDS groziła ograniczeniem aktywności wyłącznie homoseksualistów, co świadczyło o słabym poczuciu demokracji. Teraz ograniczymy również aktywność heteroseksualną i znowu wszyscy będziemy równi. Żyliśmy sobie w stanie całkowitej beztroski, a przypomnienie sobie smarowaczy* przywróci nam wyrazistą świadomość naszych praw i obowiązków.

Warto jednak podkreślić, że problem AIDS jest poważniejszy niż sądzimy, i dotyczy nie tylko homoseksualis-

---

* Chodzi o osoby, które podczas epidemii dżumy w Mediolanie w 1630 roku podejrzewano o to, że smarując ludzi i przedmioty paskudną materią szerzą epidemię. Przyp. tłum.

tów. Nie chciałbym zostać posądzony o szerzenie bez powodu nastrojów alarmistycznych, pozwolę sobie jednak zasygnalizować inne grupy podwyższonego ryzyka.

Wolne zawody

Nie chodzić do awangardowych teatrów w Nowym Jorku, wiadomo bowiem powszechnie, że aktorzy angielskojęzyczni ze względów fonetycznych plują przy mówieniu, wystarczy przyjrzeć się im pod światło z profilu, a w teatrach eksperymentalnych widz jest blisko aktora i grozi mu opryskanie śliną. Jeśli jesteś członkiem parlamentu, trzymaj się z daleka od mafii, abyś nie musiał całować ręki ojca chrzestnego. Odradzam również camorrę, a to z powodu obrządku, przy którym niezbędna jest krew. Jeśli ktoś chce zrobić karierę polityczną w Katolickim Ruchu Społecznym, musi mimo wszystko unikać przyjmowania komunii, gdyż zarazki przenoszą się z ust do ust poprzez palce kapłana, nie mówiąc już nawet o ryzyku związanym ze zbliżeniem podczas spowiedzi.

Prości obywatele i robotnicy

Do grupy podwyższonego ryzyka wypada zaliczyć te osoby korzystające z ubezpieczeń społecznych, które mają zepsute zęby, a to ze względu na kontakt z dentystą, manipulującym przecież w ustach rękami zbrukanymi wskutek zetknięcia z innymi ustami. Pływanie w morzu zanieczyszczonym ropą naftową potęguje niebezpieczeństwo zakażenia, albowiem oleisty surowiec przenosi cząsteczki śliny innych ludzi, którzy uprzednio nabierali wodę w usta i wypluwali ją. Jeśli ktoś wypala ponad osiemdziesiąt gauloise'ów dziennie, dotyka palcami, które miały styczność z innymi ludźmi, dolnej części papierosa i zarazki dostają się do dróg oddechowych. Unikać zapisania się do kasy chorych, gdyż całe dni spędza się wtedy ogryzając paznokcie. Dbać o to, by nie zostać porwanym przez sardyńskich pasterzy albo terrorystów, gdyż porywacze wielokrotnie używają tego samego kaptura. Nie podróżować pociągiem na trasie Florencja—Bolonia, jako że wybuch rozrzuca z niewiarygodną szybkością szczątki organiczne, a w chwilach takiego zamieszania doprawdy trudno należycie się chronić. Unikać stref atakowanych głowicami nuklearnymi, gdyż na widok grzyba atomowego człowiek odruchowo podnosi dłonie (nie umyte!) do ust, szepcząc: „O Boże!"

W sytuacji wielkiego zagrożenia są także umierający, którzy całują krucyfiks; skazani na śmierć (jeśli ostrze gilotyny nie zostało należycie zdezynfekowane przed użyciem); dzieci z sierocińców i domów podrzutków, gdyż niegodziwa siostra zmusza je do lizania posadzki, uwiązawszy uprzednio za nogę do składanego łóżeczka.

Trzeci Świat

Straszliwie niebezpieczni są czerwonoskórzy. Przekazywanie sobie z ust do ust fajki pokoju doprowadziło, jak wiemy, do wytępienia narodu indiańskiego. Mieszkańcy Bliskiego Wschodu i Afgańczycy są narażeni na liźnięcie przez wielbłąda, a skutkiem jest wysoka śmiertelność w Iranie i Iraku. Desaparecido ryzykuje niemało, kiedy oprawca zadaje mu pchnięcie sztyletem, spluwając mu jednocześnie w twarz. Kambodżanie i mieszkańcy libańskich obozów muszą unikać krwawych łaźni, odradza je bowiem dziewięciu na dziesięciu lekarzy (dziesiątym, bardziej tolerancyjnym jest doktor Mengele).

41

Południowoafrykańscy Murzyni są narażeni na infekcję, kiedy Biały patrzy na nich z pogardą, i przedrzeźnia, tocząc z ust ślinę. Wszelkiej maści więźniowie polityczni muszą starannie unikać sytuacji, kiedy policjant daje im w zęby nie zważając, że uprzednio jego pięść zetknęła się ze szczęką innego podejrzanego. Ludy dotknięte endemicznym głodem powinny wstrzymywać się od zbyt częstego przełykania śliny, gdyż ma ona styczność z miazmatami środowiska i może zainfekować przewód trawienny.

Sprawą edukacji sanitarnej społeczeństwa powinny zająć się władze, a także prasa — zamiast rozdmuchiwania sensacji i skupiania się na problemach, których rozwiązanie można spokojnie przełożyć na inne czasy.

(1985)

JAK PODRÓŻOWAĆ Z ŁOSOSIEM

Kiedy czyta się gazety, nie można oprzeć się wrażeniu, że bolączką naszych czasów są dwa problemy: inwazja komputerów i niepokojący napór Trzeciego Świata. To prawda, i zdaję sobie z tego sprawę.

W ostatnich dniach odbyłem krótką podróż: jeden dzień w Sztokholmie i trzy w Londynie. W Sztokholmie zostało mi akurat tyle czasu wolnego, żeby kupić sobie za śmieszną cenę ogromnego wędzonego łososia. Był należycie zapakowany w plastik, ale powiedziano mi, że podczas podróży lepiej trzymać go w chłodzie. Łatwo się mówi.

Na szczęście w Londynie mój wydawca zarezerwował dla mnie luksusowy hotel, gdzie był barek-lodówka. Po przybyciu do hotelu miałem uczucie, że jestem na placówce w Pekinie podczas powstania bokserów.

Rodziny koczujące w holu, owinięci w pledy podróżni, którzy śpią na bagażach... Zasięgam informacji u obsługi — sami Hindusi, kilku Malajów. Wyjaśniają, że właśnie poprzedniego dnia ten wielki hotel zainstalował sobie system komputerowy, który jednak jest jeszcze niedotarty i od dwóch godzin nie działa. Nie wiadomo, który pokój jest zajęty, a który wolny. Trzeba czekać.

Pod wieczór komputer był naprawiony i mogłem wejść do mojego pokoju. Martwiłem się już, co z moim łososiem, wyjąłem go więc z walizki i zacząłem rozglądać się za lodówką.

W przeciętnym hotelu w takiej lodówce znajdują się zwykle dwie butelki piwa, dwie wody mineralnej, kilka miniaturek z mocniejszymi trunkami, trochę soku owocowego i dwie torebki orzeszków. Olbrzymia lodówka w moim hotelu kryła w sobie z pięćdziesiąt butelek whisky, ginu, drambuie, courvoisiera, grand marnier i calvadosu, osiem butelek wody perrier, dwie vitelloise i dwie evian, trzy średniej wielkości butelki szampana, wiele puszek stouta, pale ale, piw holenderskich i niemieckich, włoskie i francuskie białe wino, orzeszki, tartinki, migdałki, czekoladki i alka-seltzer. Nie ma miejsca na łososia. Otworzyłem dwie pojemne szuflady, umieściłem w nich całą zawartość lodówki, zapewniłem chłód łososiowi i przestałem się nim interesować. Kiedy następnego dnia wróciłem o czwartej do hotelu, łosoś spoczywał na stole, a lodówka była znowu napełniona po brzegi cennymi produktami. Otworzyłem szuflady i zobaczyłem, że wszystko, co do nich schowałem, nadal się tam znajduje . Zadzwoniłem do recepcji i poprosiłem, by wyjaśniono personelowi, że jeśli zastanie lodówkę pustę, nie będzie to oznaczało, iż spożyłem wszystko, co w niej znalazłem, ale że powodem jest łosoś. Odpowiedzieli, że trzeba wprowadzić tę informację do centralnego komputera, między innymi dlatego, że większość obsługi nie zna angielskiego, nie może więc przyjmować poleceń wydawanych głosem, lecz tylko instrukcje w języku basic.

Otworzyłem dwie następne szuflady i zapełniłem je nową zawartością lodówki, po czym znowu ulokowałem w niej łososia. Następnego dnia o czwartej łosoś był na stole i wydawał już z siebie podejrzany zapaszek.

Lodówka była zapchana butelkami i buteleczkami, a cztery szuflady przypominały szafę pancerną w *spe-*

*ak-easy** za czasów prohibicji. Zatelefonowałem do recepcji i dowiedziałem się, że komputer znowu zawiódł. Nacisnąłem guzik dzwonka i próbowałem następnie wytłumaczyć, na czym polega moja sprawa, jakiemuś typowi z włosami spiętymi w kok na tyle głowy, ten jednak mówił dialektem, którym — jak wyjaśnił mi później kolega antropolog — posługiwano się w Kefiristanie, i to w czasach, kiedy Aleksander Wielki brał ślub z Roksaną.

Następnego dnia poszedłem podpisać rachunek. Astronomiczny! Wynikało z niego, że w ciągu dwóch i pół dnia skomsumowałem parę hektolitrów veuve clicquot, dziesięć litrów whisky, w tym parę niezwykle rzadkich gatunków, osiem litrów ginu, dwadzieścia pięć litrów perriera i evian, plus parę butelek San Pellegrino, tyle soku owocowego, że wystarczyłoby go na utrzymanie przy życiu wszystkich dzieci wspieranych przez UNICEF, tyle migdałków, orzechów i słonych orzeszków, że zwymiotowałaby nawet osoba dokonująca autopsji bohaterów *Wielkiego żarcia*. Próbowałem wszystko wytłumaczyć, ale pracownik ukazał w szerokim uśmiechu zęby czarne od żucia betelu i zapewnił, że tak zawyrokował komputer. Poprosiłem o adwokata, a pomyśleli, że chcę awocado i przynieśli mi mango.

Mój wydawca jest wściekły i uważa mnie za pasożyta. Łosoś nie nadaje się do jedzenia. Dzieci powiedziały mi, że powinienem ograniczyć trochę picie.

(1986)

---

* Tajny bar. Przyp. tłum.

JAK PRZEPROWADZAĆ INWENTARYZACJĘ

Rząd zapewnia, że zrobi coś, żeby zagwarantować autonomię wyższym uczelniom. Uniwersytety miały autonomię w średniowieczu i funkcjonowały wówczas lepiej niż w dzisiejszych czasach. Uniwersytety amerykańskie, o których doskonałości krążą legendy, cieszą się autonomią. Niemieckie są podporządkowane landom, ale rząd lokalny jest elastyczniejszy niż administracja centralna i w wielu sprawach, jak na przykład dobór profesorów, land ogranicza się do formalnego zatwierdzania decyzji uniwersytetu. We Włoszech natomiast, kiedy uczony odkryje, że flogiston nie istnieje, grozi mu to, iż będzie mógł ogłosić swój wynik jedynie wykładając aksjomatyczną teorię flogistonu, gdyż raz wpisana do ministerialnych rejestrów nazwa może zostać zmieniona jedynie za cenę mozolnych rokowań z udziałem wszystkich krajowych wszechnic, Rady Najwyższej, ministra i paru innych organów, których nazwy wyleciały mi z głowy.

Badania naukowe są prowadzone dzięki temu, że ktoś dostrzega jakąś drogę, której nikt dotychczas nie dostrzegł, a parę innych osób okazuje wielką elastyczność przy podejmowaniu decyzji i postanawia mu zaufać. Jeśli jednak decyzję w sprawie przesunięcia stołka w Vipiteno musi podjąć Rzym w porozumieniu z Chivasso, Terontolą, Afragolą, Montelepre i Decimomannu, nie ulega wątpliwości, że stołek zostanie przesunięty w najlepszym razie w momencie, kiedy niczemu to już nie służy.

Profesorami kontraktowymi powinni być zagraniczni uczeni, cieszący się wielką sławą i mający niepodważalne kompetencje. Ale od chwili wystąpienia z odpowiednim wnioskiem przez uniwersytet do zatwierdzenia go przez ministerstwo upływa zwykle tyle czasu, że rok akademicki dobiega końca i pozostaje kilka zaledwie tygodni wykładów (albo w tym właśnie momencie ministerstwo odmawia). Jest oczywiste, że przy takim stopniu ryzyka trudno zatrudnić noblistę, i w rezultacie znajduje się tylko nie mającą pracy kuzynkę dziekana.

Badania naukowe grzęzną również dlatego, że długa procedura biurokratyczna prowadzi do marnowania czasu na rozwiązywanie śmiechu wartych problemów. Jestem dyrektorem instytutu uniwersyteckiego i przed laty musieliśmy przeprowadzić dosyć drobiazgową inwentaryzację wyposażenia. Jedyna urzędniczka, jaką dysponowaliśmy, miała na głowie tysiąc innych spraw. Mogliśmy zlecić wykonanie tego zadania prywatnemu przedsiębiorstwu, które żądało trzystu tysięcy lirów. Pieniądze były, ale przeznaczone na zakup podlegającego inwentaryzacji sprzętu. Jak uznać inwentaryzację za coś podlegającego inwentaryzacji?

Powołałem komisję logików, którzy na trzy dni oderwali się od pracy naukowej. Logicy dostrzegli w tym zagadnieniu coś podobnego do paradoksu ze zbiorem wszystkich zbiorów. Następnie doszli do wniosku, że akt inwentaryzowania jest czynnością, nie zaś rzeczą, a więc nie może zostać zinwentaryzowany, lecz z drugiej strony prowadzi do założenia rejestrów inwentaryzacyjnych, które jako rzeczy mogą być inwentaryzowane. Poprosiliśmy prywatną agencję, by wystawiła rachunek nie za dokonaną czynność, lecz za jej wynik, który objęliśmy inwentaryzacją. Oderwałem na kilka dni od pracy paru naukowców, ale uniknąłem mordęgi.

Kilka miesięcy temu przyszli do mnie woźni, by oznajmić, że wyczerpał się zapas papieru toaletowego. Poleciłem dokonać odpowiedniego zakupu. Sekretarka powiedziała, że zostały już tylko fundusze na wyposażenie podlegające inwentaryzacji, i zwróciła mi uwagę na fakt, że wprawdzie papier toaletowy można zinwentaryzować, lecz ze względów, w które nie będę się w tym miejscu zagłębiał, ma on ograniczoną trwałość i po jakimś czasie znika z inwentarza. Powołałem komisję złożoną tym razem z biologów, którym dałem do rozważenia zagadnienie, czy da się zinwentaryzować zużyty papier toaletowy, oni zaś odpowiedzieli, że owszem, ale koszty ludzkie będą bardzo wysokie.

Powołałem komisję prawników, którzy dostarczyli wreszcie rozwiązanie. Muszę odebrać papier toaletowy, wpisać do inwentarza, a następnie wydać — aby z powodów ściśle naukowych umieszczono go w toaletach. Kiedy okaże się, że papieru tam nie ma, zgłoszę kradzież zinwentaryzowanego wyposażenia, dokonaną przez nieznanych sprawców. Niestety, musiałem ponawiać zgłoszenie co dwa dni i w końcu pewien inspektor wystąpił z poważnymi oskarżeniami o nieudolne zarządzanie instytutem, na którego teren z taką łatwością mogą periodycznie przenikać osoby obce. Jestem podejrzanym, ale włos mi z głowy nie spadnie, nie dopadną mnie.

Niedogodność całej procedury polega na tym, że poszukując rozwiązania, musiałem na wiele dni oderwać od pożytecznych dla kraju badań wybitnych ludzi nauki, trwonić publiczny grosz, gdyż przecież zająłem czas personelowi naukowemu i administracyjnemu, a ponadto musiałem korzystać z telefonu i zużywać papier stemplowy. Nikt jednak nie został oskarżony o wyrzucanie przez okno państwowych pieniędzy, bo wszystko odbyło się zgodnie z prawem.

(1986)

JAK KUPOWAĆ GADŻETY

Samolot przelatuje majestatycznie nad równinami bez końca, nad pustyniami niczym nie skalanymi. Kontynent amerykański stwarza nadal okazje do prawie dotykalnego kontaktu z przyrodą. Zapominam o cywilizacji, ale tak się składa, że w kieszeni na oparciu fotela przede mną, wśród instrukcji na wypadek konieczności natychmiastowej ewakuacji (z samolotu, w razie katastrofy), obok programu filmowego i koncertów Brandenburskich w słuchawkach — znajduje się egzemplarz *Discoveries*, broszury, która wymienia, wraz z zachęcającymi zdjęciami, cały szereg przedmiotów do nabycia za pośrednictwem poczty. W następnych dniach, podczas kolejnych lotów, odkrywam *The American Traveller, Gifts with Personality* oraz inne tego rodzaju publikacje.

Ta fascynująca lektura pochłania mnie bez reszty i zapominam o przyrodzie, monotonnej, gdyż, jak się zdaje, „non facit saltus" (podobnie, mam nadzieję, jest z moim samolotem). O ileż bardziej interesująca jest kultura, która — wiadomo przecież — służy poprawianiu natury. Natura jest bezwzlędna i wroga, kultura zaś pozwala człowiekowi robić różne rzeczy z mniejszym wysiłkiem, zyskiwać na czasie. Kultura wyzwala ciało od zniewolenia pracą i usposabia go do kontemplacji.

Pomyślmy na przykład, jak uciążliwą rzeczą jest manewrować kroplami do nosa, to znaczy tymi kupionymi w aptece buteleczkami, które trzeba ściskać w dwóch palcach, żeby dobroczynny płyn dostał się do środka. Żaden problem. Viralizer (4 dolary 95 centów) to urządzenie, w którym należy umieścić taką buteleczkę, a on już będzie za ciebie naciskał, i to tak, by strumień został skierowany bezpośrednio do najskrytszych zakątków dróg oddechowych. Naturalnie całe urządzenie trzyma się w ręku, i w sumie, jeśli można sądzić na podstawie zdjęcia, człowiek ma uczucie, jakby strzelał z kałasznikowa, lecz coś za coś.

Uderza mnie, choć mam nadzieję, że nie porazi, Omniblanket, kosztujący, bagatela, 150 dolarów. Jest to pled z grzałką, ale zaopatrzony w program elektroniczny, który wyrównuje temperaturę danej części ciała. Mam na myśli to, że jeśli w nocy jest ci zimno w ramiona, ale pocisz się w pachwinie, programujesz odpowiednio Omniblanket, który będzie ci grzał ramiona i chłodził pachwinę. Jeżeli masz niespokojny sen i kręcisz się w łóżku tak, że głowa jest tam, gdzie powinny być nogi — to już twoja sprawa. Upieczesz sobie jądra, czy co tam masz w tym miejscu — zależnie od płci. Nie sądzę, by można było domagać się ulepszeń od wynalazcy, gdyż ten zapewne spalił się na węgiel.

Może się oczywiście zdarzyć, że chrapiesz przez sen, budząc współmałżonka. Drobnostka, Snore Stopper to jakby zegarek, który zakładasz na przegub ręki, zanim ułożysz się do snu. Jedno chrapnięcie, a Snore Stopper natychmiast dowiaduje się o tym dzięki audiosensorom, wysyła odpowiedni impuls elektryczny, który biegnąc wzdłuż ramienia dociera do któregoś z ośrodków nerwowych i przerywa nie bardzo wiem co, ale przestajesz zaraz chrapać. Kosztuje jedne 45 dolarów. Bieda z tym, że osobom cierpiącym na serce radzi się, by zrezygnowały z jego używania, i w moim umyśle pojawia się wątpliwość, czy Snore Stopper nie zniszczy serca najpotężniejszemu atlecie. Poza tym waży dwa funty, czyli prawie kilogram, możesz więc go stosować spoczywając przy małżonce, z którą łączy cię kilkudziesięcioletnia zażyłość, ale nie z dziewczyną na jedną noc, gdyż uprawianie miłości, kiedy dźwiga się na przegubie ręki kilogramową machinę, mogłoby doprowadzić do nie chcianych incydentów.

Jak wiadomo Amerykanie, zwalczając cholesterol, uprawiają jogging, to znaczy biegają godzinami, dopóki nie padną powaleni przez zawał serca. Pulse Trainer (59 dolarów i 95 centów) zakłada się na przegub ręki; jest połączony przewodem z nasadką, którą wsuwa się na palec wskazujący. Wydaje mi się, że kiedy twój układ sercowo-naczyniowy jest bliski zapaści, rozlega się dzwonek. To wyraźny postęp, zwłaszcza jeśli uświadomimy sobie, że w krajach słabo rozwiniętych człowiek staje dopiero, kiedy dostaje zadyszki — jest to wszak wskaźnik bardzo prymitywny; być może właśnie dlatego dzieci w Ghanie nie uprawiają jogginu. Jest przy tym pewną osobliwością, że mimo tego zaniedbania nie cierpią zgoła na zbyt wysoki poziom cholesterolu. Z Pulse Trainer możesz biec spokojnie, a zakładając na piersi i w talii dwa pasy Nike Monitor, masz ten komfort, że elektroniczny głos, który uzyskuje odpowiednie informacje dzięki mikroprocesorom i Doppler Effect Ultra Sound, mówi ci, ile przebiegłeś i z jaką szybkością (300 dolarów).

Jeśli lubisz zwierzęta, radzę ci zaopatrzyć się w Bio Bet. Urządzenie zakłada się psu na szyję; wydaje ultradźwięki (Pmbc Circuit) zabijające pchły. Kosztuje jedne 25 dolarów. Nie wiem, czy można założyć samemu sobie, by wytępić wszy łonowe, ale obawiam się skutków ubocznych.

Shower Valet (34 dolary i 95 centów) daje nam w jednym zestawie do zawieszenia na ścianie nie tracące połysku lustro łazienkowe, odbiornik radiowy, telewizyjny. golarkę i dozownik kremu do golenia. Reklama zapewnia, że dzięki temu urządzeniu codzienny nudny obrządek zamienia się w „niezwykłe przeżycie". Spice Track (36 dolarów 95 centów) to elektroniczna maszynka, kryjąca w sobie pojemniczki z wszystkimi przyprawami, jakich człowiek może zapragnąć. Biedacy ustawiają przyprawy na listwie nad kuchenką i kiedy chcą posypać, powiedzmy, cynamonem swoją codzienną porcję kawioru, muszą brać przyprawę w palce. Mając Spice Track, wystukujesz palcem odpowiedni algorytm (zdaje się, że w systemie Turbo Pascal) i przyprawa, na którą masz apetyt, przechyla się nad talerzem.

Jeśli chcesz kupić ukochanej osobie prezent na urodziny, za jedne 30 dolarów wyspecjalizowane przedsiębiorstwo dostarczy jej egzemplarz *New York Timesa* z dnia, w którym przyszła na świat. Jeśli urodziła się w dniu zrzucenia bomby na Hirosimę albo trzęsienia ziemi w Messynie, to już jej sprawa. Można również upokorzyć kogoś nie lubianego, pod warunkiem jednak, że urodził się w dniu, w którym nie zdarzyło się nic ważnego.

Podczas dłuższych lotów możesz wypożyczyć za trzy lub cztery dolary słuchawki, dzięki którym słyszysz rozmaite programy muzyczne albo ścieżkę dźwiękową filmu. Podróżni zmuszeni do częstych lotów, a ponadto obawiający się AIDS, mogą za 19 dolarów i 95 centów kupić osobiste, odpowiednio przygotowane (wysterylizowane) słuchawki, które noszą przy sobie z samolotu do samolotu.

Przemieszczając się z kraju do kraju chcesz wiedzieć, ile dolarów wart jest funt szterling albo ile hiszpańskich dublonów mieści się w jednym talarze. Biedacy używają przy takiej okazji ołówka i kalkulatora za dziesięć tysięcy lirów. Wyszukują kursy walut w gazetach i wykonują odpowiednie działania arytmetyczne. Bogaci mogą sobie za dwadzieścia dolarów kupić Currency Converter, który robi dokładnie to, co kalkulator, ale twój dyrektor generalny musi każdego ranka programować go na nowo zgodnie z notowaniami podanymi w gazetach; urządzenie to nie potrafi natomiast udzielić odpowiedzi na pytanie (nie związane z kursem walut): „Ile jest sześć razy sześć?" Wyrafinowanie jest tu związane z tym, że ten szczególny kalkulator robi za podwójną cenę połowę tego, co mogą zrobić inne.

Następnie mamy rozmaite cudowne terminarze (Master Day Time, Memory Pal, Loose-Leaf Timer i tak dalej). Cudowny terminarz wygląda jak zwykły kalendarzyk (tyle że zwykle nie mieści się w kieszeni). Zupełnie tak samo jak w zwykłym kalendarzyku, po trzydziestym września następuje pierwszy października. Różnica sprowadza się do opisu. Wyobraź sobie — wyjaśniają nam cierpliwie — że pierwszego stycznia umawiasz się na godzinę dziesiątą dwudziestego grudnia; te dwie daty są oddzielone prawie dwunastoma miesiącami i żaden ludzki umysł nie jest w stanie utrwalić w pamięci na tak długo tak drobnej informacji. Co więc powinieneś zrobić? Pierwszego stycznia otwierasz terminarz na dwudziestym grudnia i zapisujesz sobie: „Godz. 10 mister Smith". To cud! Jesteś na cały rok zwolniony z uciążliwej konieczności pamiętania i wystarczy, że dwudziestego grudnia, jedząc mleko z płatkami kukurydzianymi, otwierasz terminarz i w cudowny sposób przypominasz sobie o umówionym spotkaniu... Jeśli jednak dwudziestego grudnia, uświadamiam sobie, budzisz się o jedenastej i dopiero w południe sięgasz po terminarz? Zakłada się tu milcząco, że skoro wydałeś 50 dolarów na cudowny terminarz, masz dość oleju w głowie, by wstawać codziennie o siódmej.

Jeśli chcesz przyspieszyć osobistą toaletę w jakże kuszącym dniu dwudziestym grudnia, kupujesz za marne 16 dolarów Nose Hair Remover, czyli Rotary Clipper. Przyrząd ten zafascynowałby z pewnością markiza de

Sade'a. Po wsunięciu do nosa (z reguły) obraca się, napędzany elektrycznością, obcinając rosnące w środku włosy, niedostępne dla nożyc krawieckich, którymi biedacy daremnie próbują zazwyczaj je usunąć. Nie wiem, czy istnieje wersja makro, przeznaczona dla twojego słonia.

Cool Sound to przenośna lodówka, którą zabiera się na wycieczkę za miasto, z wbudowanym odbiornikiem TV. Fish Tie to krawat w kształcie dorsza, wykonany w stu procentach z poliesteru. Dzięki Coin Changer (aparacik wydający monety) unikasz grzebania w kieszeniach, kiedy chcesz kupić gazetę. Niestety zajmuje tyle miejsca, co relikwiarz z kością udową świętego Albina. Nie podano też, gdzie w razie pilnej potrzeby można znaleźć monety, żeby wypełnić opróżniony przyrząd.

Jeśli chcesz zrobić sobie herbatę, wystarczy ci, pod warunkiem, że surowiec jest odpowiedniej jakości, naczynie do zagotowania wody, łyżeczka i ostatecznie sitko. Tea Magic za 9 dolarów 95 centów to bardzo skomplikowana machina, która sprawia, że przygotowanie filiżanki herbaty jest równie uciążliwe jak przygotowanie filiżanki kawy.

Cierpię na zaburzenia wątrobowe, kwaśność moczu, nieżyt nosa, nieżyt żołądka, kolano praczki, łokieć tenisisty, awitaminozę, bóle w stawach i mięśniach, łuskowatość palucha u nogi, egzemę alergiczną i być może nawet trąd. Na szczęście uchroniłem się od hipochondrii. Jest jednak faktem, że codziennie muszę pamiętać, jaką pastylkę mam zażyć i kiedy. Dostałem w prezencie srebrne pudełeczko na pastylki, coż jednak z tego, skoro zapominam napełnić je rano. Chodzenie po świecie z pełnymi flakonikami oznacza spore wydatki na kaletnika, zresztą jest niewygodne, kiedy jeździ się na hulajnodze. Sytuację ratuje Tablets Container, który zawadza ci nie bardziej niż Lancia Thema, towarzyszy ci przez cały pracowity dzień i zaopatruje cię w odpowiednich porach w odpowiednie pigułki. Bardziej wyrafinowanym urządzeniem jest jednak Electronic Pill Box (19 dolarów 85 centów), przeznaczony dla pacjentów cierpiących na nie więcej niż trzy schorzenia jednocześnie. Jest to szkatułka z trzema przegródkami, a wbudowany w nią komputer daje sygnał, kiedy nadchodzi pora na tabletkę.

Jeśli masz w domu myszy, pomoże ci wspaniały Trap-Ease. Wkładasz do środka ser, odstawiasz i możesz iść choćby nawet do opery. Kiedy mysz wchodzi do zwykłej pułapki, trąca wihajster, a wtedy opada gilotyna, która ją zabija. Natomiast Trap-Ease jest zbudowany pod kątem rozwartym. Dopóki mysz pozostaje w przedsionku, jest bezpieczna (ale nie ma sera). Jeśli dobierze się do sera, przedmiot obraca się o 94 stopnie i spada kratka. Ponieważ urządzenie kosztuje tylko 8 dolarów i jest przezroczyste, możesz do woli oglądać sobie mysz wieczorami, kiedy zepsuje ci się telewizor, a następnie wypuścić zwierzątko na pole (wariant ekologiczny), cisnąć wszystko do śmieci albo — podczas oblężenia miasta — wrzucić mysz prosto do rondelka z wrzącą wodą.

Leaf Scoops to coś, co dokonuje mutacji twoich dłoni w łapy płetwonoga wystawionego na promieniowanie radioaktywne, daje krzyżówkę gęsi z pterodaktylem i doktorem Quatermassem. Służy do zbierania liści w twoim liczącym 80 tysięcy akrów parku. Płacąc 12 dolarów 50 centów, oszczędzasz na ogrodniku i gajowym (zatrudnienie go doradzano lordowi Chatterleyowi). Tie Saver pokrywa ci krawat oleistym sprayem, dzięki czemu będziesz mógł spożywać Chez Maxim szczotki w sosie pomidorowym, nie lękając się, że będziesz później na posiedzeniu rady nadzorczej wyglądał jak doktor Barnard po dokonaniu transplantacji. 15 dolarów. Pożyteczne dla tych, którzy nadal używają brylantyny. Mogą spokojnie otrzeć czoło krawatem.

Co się dzieje, kiedy walizka jest tak wypchana, że pęka w szwach? Głupiec kupuje następną walizkę z zamszu lub skóry dzika. Ale takie rozwiązanie prowadzi do tego, że ma się zajęte obie ręce. Briefcase Expander to w gruncie rzeczy ciężar, który kładziesz na swojej jedynej walizce i już możesz upchnąć wszystko, co wystaje, osiągając grubość dwumetrową i większą. Za jedne 45 dolarów, wchodząc na pokład samolotu będziesz miał wrażenie, że dźwigasz pod pachą muła.

Ankle Vallet (19 dolarów 95 centów) pozwala ukryć karty kredytowe w tajnej kieszeni, która przylega do łydki. Bardzo przydatne dla osób zajmujących się przemytem narkotyków. Drive Alert umieszcza się, podczas prowadzenia auta, za uchem i ledwie nachodzi cię senność i głowa zaczyna się kiwać i pochylać do przodu bardziej niż to dopuszczalne, rozlega się dzwonek. Sądząc po dołączonym zdjęciu urządzenie to zmienia uszy użytkownika w coś kojarzącego się ze Star Treck, Andreottim lub Elephant Man. Jeśli ktoś cię zapyta: „Czy mnie poślubisz?", a masz akurat urządzenie za uchem, nie mów zbyt energicznie: „tak". Grozi ci śmierć od ultradźwięków.

Na zakończenie pozwolę sobie wymienić automat do wydawania pokarmu ptakom, kufel na piwo z wmontowanym dzwonkiem rowerowym (dźwięczy domagając się dolewki), saunę do twarzy, automat do coca-coli — w kształcie pompy benzynowej i Bicycle Seat — chodzi o podwójne siodełko rowerowe, po jednym na pośladek. Dobre dla cierpiących na prostatę. Reklama zapewnia, że ma ono „split-end design (no pun intended)". Jak by to powiedzieć: „Rozszczepia ci tyłek (nie ma w tym złośliwości)".

Między jednym lotem a drugim człowiek eksploruje również kioski gazetowe i uczy się mnóstwa rzeczy. Parę dni temu odkryłem, że istnieją rozmaite czasopisma przeznaczone dla poszukiwaczy skarbów. Kupiłem wydawane w Paryżu *Trésors de l'Histoire*. Zamieszczono tu artykuły mówiące o szansach znalezienia cudownych rzeczy w rozmaitych stronach Francji, precyzyjne wskazówki geograficzne i topograficzne oraz informacje o skarbach znalezionych już w tych miejscach.

W kupionym przeze mnie numerze podane są wskazówki dotyczące skarbów, spoczywających na dnie Sekwany, od starożytnych monet do przedmiotów rzucanych do rzeki w ciągu wieków, jak miecze, wazy, łodzie, kompromitujące skradzione przedmioty, a nawet dzieła sztuki; przedmiotów zakopanych w średniowieczu w Bretanii przez apokaliptyczną sektę Eona de l'Estoile; pamiętających czasy Merlina i cykl opowieści o Graalu skarbów w czarodziejskim lesie Brocelandie, przy czym dołączono tu drobiazgowe wskazówki, które pozwalają w razie powodzenia zidentyfikować Świętego Graala we własnej osobie; a dalej skarbów zakopanych przez Wandejczyków w Normandii podczas rewolucji francuskiej; skarbu Oliviera Le Diable, balwierza Ludwika XI; skarbów, o których opowiada się niby to żartem w powieściach z cyklu „Arsen Lupin", które jednak naprawdę istnieją. Wydano poza tym *Guide de la France trésoraire*, pokrótce jedynie opisany w artykule, jako że kompletne dzieło kosztuje 26 franków i zawiera 74 mapy w skali jeden do stu, przy czym każdy może sobie wybrać jedną, przedstawiającą rejon najbliższy miejsca zamieszkania.

Czytelnik zadaje sobie być może pytanie, jak szukać skarbu pod ziemią lub pod wodą. Nie ma obaw, gdyż czasopismo zamieszcza reklamy i artykuły dotyczące sprzętu niezbędnego dla poszukiwaczy. Są to najrozmaitsze wyspecjalizowane detektory, służące do wykrywania złota, metali i innych cennych rzeczy. Do szukania pod wodą mamy kombinezony, maski, urządzenia wyposażonene w dyskryminatory pozwalające odróżniać klejnoty od płetw.

Niektóre z tych instrumentów kosztują ładne parę setek tysięcy lirów, cena innych dochodzi do miliona i więcej. Proponuje się nawet karty kredytowe, umożliwiające po wydaniu dwóch milionów dalsze zakupy z wykorzystaniem kuponu na sto tysięcy lirów (nie wiadomo czemu ma służyć ten rabat, gdyż po takiej inwestycji klient znalazł już przynajmniej skrzynię wyładowaną hiszpańskimi dublonami).

Na przykład za osiemset tysięcy lirów możesz stać się właścicielem urządzenia o nazwie M-Scan, które zajmuje wprawdzie dużo miejsca, ale pozwala wykrywać miedziane monety do głębokości dwudziestu dwóch centymetrów, kufry — do dwóch metrów, a optymalną ilość metalu zamkniętego w skrytce — do mniej więcej trzech metrów pod ziemią. Inne instrukcje wyjaśniają, jak kierować we właściwą stronę rozmaite typy detektorów, informują, że pogoda deszczowa sprzyja wykrywaniu wielkich brył, sucha zaś przedmiotów drobnych. Beachcomber 60 to specjalistyczny przyrząd służący do poszukiwań na plażach i obszarach występowania bogatych złóż surowców (czytelnik rozumie chyba, że jeśli miedziana moneta spoczywa obok złoża diamentów, maszyna może zawieść i jej nie wykryć). Z drugiej strony mamy anons, który zawiadamia, że dziewięćdziesiąt procent złóż złota nie zostało jeszcze wykrytych, a detektor Goldspear, niezwykle łatwy w obsłudze (kosztuje półtora miliona), jest skonstruowany właśnie do wykrywania złotodajnych żył. Za niewysoką cenę można kupić kieszonkowy detektor (Metal Locator) do poszukiwań w kominkach i starych meblach. Za niecałe trzydzieści tysięcy lirów kupisz buteleczkę AF2, dzięki czemu będziesz mógł czyścić i odtleniać znalezione monety. Dla uboższych poszukiwaczy są rozmaite wahadełka różdżkarskie. Jeśli ktoś chce się dowiedzieć czegoś więcej, ma całą serię dzieł o nęcących tytułach: *Tajemnicza historia francuskich skarbów, Przewodnik po zakopanych skarbach, Przewodnik po zaginionych skarbach, Francja, ziemia obiecana, Podziemia Francji, Poszukiwanie skarbów w Belgii i Szwajcarii* itd.

Zadajesz sobie być może, czytelniku, pytanie, jak to się dzieje, że redaktorzy tego czasopisma, mając do dyspozycji tyle rozmaitego dobra, tracą najlepsze swoje lata na pisaniu, zamiast ruszyć w głąb bretońskich lasów. Rzecz w tym, że zarówno czasopismo, jak książki, detektory, płetwy, płyny dezoksydujące i cała reszta są sprzedawane przez to samo przedsiębiorstwo, które prowadzi sieć sklepów rozsianych po całym kraju. Tajemnica została ujawniona — oni znaleźli już skarb.

Pozostaje wyjaśnić, kim są ci, którzy ich wzbogacają, ale chodzi zapewne o te same osoby, które we Włoszech szukają złotych okazji podczas telewizyjnych aukcji i próbują wykorzystać mecenat fabrykantów mebli. Francuzi mają z tego przynajmniej spacery po lesie dla zdrowia.

(1986)

JAK ZOSTAĆ KAWALEREM MALTAŃSKIM

Dostałem list, który miał nagłówek: „Ordre Souverain Militaire de Saint-Jean de Jérusalem — Chevaliers de Malte — Prieuré Oecuménique de la Sainte-Trinité-de-Villedieu — Quartier Général de la Vallette — Prieuré de Québec", i w którym zaproponowano mi, żebym został kawalerem maltańskim. Wolałbym otrzymać odręczne pismo od Karola Wielkiego, ale i tak powiedziałem o liście moim dzieciom, aby wiedziały, że ich ojciec nie wypadł sroce spod ogona. Potem wyszukałem na półce tom Caffanjona i Galimarda Flavigny, *Ordres et contre-ordres de chevalerie*, Paryż 1982, w którym podano między innymi spis pseudozakonów maltańskich, pochodnych autentycznego Zakonu Rycerzy Szpitalnych Świętego Jana z Jerozolimy, Rodos i Malty, mającego swoją siedzibę w Rzymie.

Istnieje szesnaście innych zakonów maltańskich, które noszą odrobinę zmienione nazwy i wszystkie na przemian uznają się wzajemnie albo nie. W 1908 roku Rosjanie założyli w Stanach Zjednoczonych zakon, którym w latach późniejszych kierował Jego Królewska Wysokość książę Robert Paternò II, Ayerbe Aragonii, książę Perpignan, głowa domu królewskiego Aragonii, pretendent do tronu Aragonii i Balearów, Wielki Mistrz zakonów Łańcucha Świętej Agaty Paternò oraz Królewskiej Korony Balearów. Od tego pnia odłączył się w 1934 roku pewien Duńczyk i założył inny zakon, którego kanclerzem uczynił księcia Piotra Greckiego i Duńskiego.

W latach sześćdziesiątych odstępca od pnia rosyjskiego, Paul de Granier de Cassagnac, założył we Francji własny zakon i na protektora wybrał króla Jugosławii Piotra II. W 1965 roku były Piotr II skłócił się z Cassagnakiem i założył w Nowym Jorku następny zakon; Wielkim Przeorem jest w latach siedemdziesiątych książę Piotr Grecki i Duński, który później rezygnuje i przechodzi do zakonu duńskiego. W 1966 roku w roli kanclerza zakonu pojawia się niejaki Robert Bassaraba von Brancovan Khimchiacvili, który jednak zostaje wykluczony i zakłada Zakon Kawalerów Ekumenicznych z Malty, którego Królewskim i Cesarskim Protektorem zostaje książę Henryk III Costantino di Vigo Lascaris Aleramico Paleologo del Monferrato, następca tronu Bizancjum, książę Tesalii, który utworzył następnie jeszcze jeden zakon maltański, Przeorat Stanów Zjednoczonych, natomiast Bessaraba próbuje w roku 1975 założyć własny zakon, Przeorat Trójcy Świętej z Villedieu, i do niego miałem wstąpić, ale nic z tego nie wyszło. Znajduję potem protektorat bizantyński; zakon utworzony przez księcia Karola Rumuńskiego po rozstaniu się z Cassagnakiem; Wielki Przeorat, którego Wielkim Bajliwem jest niejaki Tonna-Barthet, książę Andrzej Jugosławiański zaś — będący już Wielkim Mistrzem zakonu założonego przez Piotra II — jest również wielkim mistrzem Przeoratu Rosji (lecz następnie książę wycofał się i zakon zmienia nazwę na Wielki Przeorat Królewski Malty i Europy); utworzony w latach sześćdziesiątych przez barona de Choiberta i Wiktora Busę, Prawosławnego Arcybiskupa Metropolitalnego Białegostoku, patriarchę diaspory zachodniej i wschodniej, prezydenta republiki Danzig (sic!), prezydenta demokratycznej republiki Białorusi i Wielkiego Chana Tartarii i Mongolii, Wiktora Timura II, i Wielki Przeorat Światowy utworzony w 1971 roku przez cytowaną już Jego Królewską Wysokość Roberta Paternò wraz z baronem markizem Alaro, zakon, którego Wielkim Protektorem zostaje w 1982 roku inny Paternò, Głowa Domu Cesarskiego Leopardi Tomassini Paternò z Konstantynopola, spadkobierca Wschodniego Cesarstwa Rzymskiego, pomazany na prawowitego następcę Prawosławnego Kościoła Katolickiego i Apostolskiego Obrządku Bizantyńskiego, markiz Monteaperto, książę palatyn tronu polskiego.

W 1971 roku w wyniku rozłamu w zakonie Bessaraby, pojawia się na Malcie mój zakon, a jego wysokim protektorem zostaje Alessandro Licastro Grimaldi Lascaris Commeno Ventimiglia, diuk La Chastre, suwerenny książę i markiz Déols, Wielkim Mistrzem zaś jest obecnie markiz Carlo Stivala de Flavigny, który po śmierci Licastra dobiera sobie jako wspólnika Pierre'a Pasleau, a ten przyjmuje wszystkie tytuły Licastra i na dodatek Jego Wysokości Arcybiskupa Patriarchy Belgijskiego Kościoła Katolickiego i Prawosławnego, Wielkiego Mistrza Zakonu Rycerzy Świątyni Jerozolimskiej i Wielkiego Mistrza i Hierofanta Powszechnego Zakonu Masońskiego Rytu Orientalnego Starożytnego i Pierwotnego Zjednoczonych Memfis i Misraim.

Odstawiłem tom na półkę. Być może on także podaje informacje fałszywe. Zrozumiałem jednak, że jeśli człowiek nie chce czuć się jak piąte koło u wozu, musi do czegoś należeć. Loża P2 została rozwiązana, Opus Dei cierpi na niedostatek umiaru i w efekcie jest na ustach wszystkich. Wybrałem Włoskie Stowarzyszenie Fletu Prostego. Jedyne, Prawdziwe, Starożytne i Akceptowane.

(1986)

JAK JEŚĆ W SAMOLOCIE

Kilka lat temu, podczas podróży samolotowej (do Amsterdamu i z powrotem) straciłem dwa krawaty firmy Brooks Brothers, dwie koszule Burberry, dwie pary spodni Bardelli, tweedową marynarkę kupioną przy Bond Street oraz kamizelkę Krizia.

Podczas lotów na trasach międzynarodowych obowiązuje dobry zwyczaj podawania posiłku. Wiadomo jednak, że w fotelu jest ciasno, na pulpicie niewiele miejsca, a samolot czasem się kołysze. Poza tym serwetki w samolocie są maleńkie i pozostawiają odkryty brzuch, jeśli wetknie się jedną z nich za kołnierz, a pierś — jeśli położy się je na kolanach i brzuchu. Zdrowy rozsądek nakazywałby podawać pokarmy nie plamiące i gęste. Niekoniecznie muszą być to pigułki enervitu. Pokarmem gęstym jest na przykład kotlet po mediolańsku, mięso z rusztu, sery, frytki i pieczony kurczak. Pokarmy plamiące to spaghetti con pummarola 'n coppa,* bakłażany po parmeńsku, pizza dopiero co wyjęta z pieca, wrzące consome w filiżance bez uszek.

Rzecz w tym, że typowe danie w samolocie składa się z mocno wypieczonego mięsa tonącego w brązowym sosie, obfitych porcji pomidorów, drobno posiekanych jarzyn moczonych w winie, a poza tym z ryżu i groszku

* spaghetti z pomidorami. Przyp. tłum.

z sosem. Wszyscy doskonale wiedzą, że groszki są nieuchwytne — dlatego właśnie nawet wielcy mistrzowie kuchni nie potrafią przyrządzić groszku nadziewanego — a już zwłaszcza jeśli ktoś się uprze, żeby, jak nakazują dobre maniery, jeść je widelcem, nie zaś łyżeczką. Proszę mi tylko nie mówić, że w gorszej sytuacji są Chińczycy, zapewniam bowiem, że łatwiej chwycić groszek pałeczkami niż nabić na widelec. Na nic zda się także wyjaśnienie, że groszku nie nabija się się na widelec, lecz widelcem się go nabiera, gdyż wiem doskonale, iż widelce są zawsze zaprojektowane w ten sposób, by spadały z nich groszki, które rzekomo się na nie nabiera.

Dodajmy, że groszek podaje się wyłącznie wtedy, gdy samolotem zaczyna rzucać i kapitan wydaje polecenia zapięcia pasów. W konsekwencji tego zawikłanego rachunku ergonomicznego groszki stoją zatem przed alternatywą: albo wpadają za kołnierz, albo do rozporka.

Starodawni bajkopisarze nauczają, że jeśli chce się uniemożliwić lisowi picie ze szklanki, trzeba podać mu szklankę wysoką i wąską. Szklanki w samolotach są niskie, rozszerzone u góry, podobne do miseczek. Jest rzeczą oczywistą, że wskutek działania praw fizyki wszelki płyn przelewa się przez brzeżek, nawet jeśli nie ma żadnych zawirowań powietrza. Jako pieczywo nie jest bynajmniej podawana francuska bagieta, którą trzeba szarpać zębami również kiedy jest świeża, lecz upieczony ze szczególnego rodzaju otrąb chleb, wybuchający w obłoczek drobniutkiego pyłu, jak tylko się go ugryzie. Zgodnie z zasadą Lavoisiera pył ów znika tylko pozornie; po wylądowaniu człowiek odkrywa, że cała ta substancja osiadła na fotelu i oblepiła spodnie — także na siedzeniu. Deser albo przypomina bezę i natychmiast zgniata się w palcach, albo je oblepia, a przecież serwetka jest w tym momencie nasiąknięta sosem pomidorowym i nie nadaje się do użytku.

Pozostaje co prawda chusteczka odświeżająca, ale nie sposób odróżnić jej od torebeczek z solą, pieprzem i cukrem, wskutek czego najpierw posypał człowiek surówkę cukrem, a potem wrzucił ową chusteczkę do kawy, którą podają wrzącą i w filiżance z materiału dobrze przewodzącego ciepło, wypełnionej poza tym po brzegi, żeby dzięki temu łatwo wyśliznęła się z poparzonych dłoni, a jej zawartość połączyła z sosem, który zdążył już zakrzepnąć za paskiem spodni. W business class kawę wylewa człowiekowi na podołek osobiście stewardessa, która następnie przeprasza w esperanto.

Zaopatrzeniowca kompanii lotniczej powołuje się z pewnością spośród ekspertów hotelarstwa preferujących ten typ dzbanuszka do kawy, z którego osiemdziesiąt procent zawartości trafia na obrus zamiast do filiżanki. Ale dlaczego? Narzuca się natychmiast hipoteza, że chce się zapewnić podróżnym poczucie luksusu, zakłada się więc, iż pamiętają ten hollywoodzki film, w którym Neron pije zawsze z bardzo szerokich kruż, wskutek czego paprze sobie brodę i chlamidę, a feudalni panowie, obejmując ramieniem dwórki, ogryzają udźce ociekające sosem na koronkowe koszule.

Dlaczego jednak w pierwszej klasie, gdzie nie brak miejsca, podają pokarmy gęste, jak choćby delikatny rosyjski kawior na tostach z masłem, wędzonego łososia i porcje langusty w oleju i z cytryną? Może dlatego, że w filmie Luchino Viscontiego nazistowscy arystokraci mówią: ,,Rozstrzelać go'', wkładając sobie do ust jeden owoc winnego grona?

(1987)

JAK MÓWIĆ O ZWIERZĘTACH

Jeśli nie entuzjazmujesz się bieżącymi wydarzeniami, oto historia, która wydarzyła się jakiś czas temu w Nowym Jorku. Central Park, ogród zoologiczny. Gromadka chłopców bawi się koło basenu dla białych niedźwiedzi. Jedno z dzieci namawia pozostałe, żeby zażyły kąpieli obok zwierząt, i chcąc je zmusić do zanurzenia się w wodzie, ukrywa im ubrania; chłopcy wchodzą do wody, pluskają się obok spokojnego i sennego misia, drażnią się z nim, w końcu więc znudzony miś wyciąga łapę i zjada, a właściwie pożera dwójkę dzieci, zostawiając dokoła szczątki. Zjawia się policja, przybywa sam burmistrz, dochodzi do dyskusji, czy należy niedźwiedzia zabić, wszyscy godzą się, że jest niewinny, w prasie ukazuje się parę artykułów poświęconych tej sprawie. Tak się składa, że chłopcy noszą nazwiska hiszpańskie; są Portorykańczykami, może kolorowymi, może od niedawna w Stanach Zjednoczonych, w każdym razie przyzwyczajonymi do brawurowych popisów, jak to bywa ze wszystkimi chłopakami, którzy skupiają się w paczki w ubogich dzielnicach.

Prezentuje się rozmaite interpretacje wydarzenia, niektóre surowo chłopców oceniające. Czasem pojawia się wypowiedź cyniczna, w każdym razie przekazywana ustnie: naturalna selekcja, skoro byli tak głupi, by pływać

66

obok niedźwiedzia, zasłużyli na to, co ich spotkało, ja nawet jako pięcioletni chłopak nie wskoczyłbym do basenu z niedźwiedziami. Interpretacja społeczna: rezerwaty nędzy, niedostatek wykształcenia, niestety, do lumpenproletariatu należy się także, jeśli chodzi o nieostrożność, o lekkomyślność. Zadaję sobie jednak pytanie, o jakim niedostatku wykształcenia można tu mówić, skoro nawet najbiedniejsze dziecko ogląda telewizję i czyta podręczniki szkolne, powinno więc wiedzieć, że niedźwiedzie pożerają ludzi, a myśliwi zabijają niedźwiedzie.

W tym miejscu zacząłem się zastanawiać, czy dzieci nie dlatego właśnie weszły do basenu, że oglądają telewizję i chodzą do szkoły. Ci chłopcy padli prawdopodobnie ofiarą nieczystego sumienia, jakie narzucają nam szkoła i mass media.

Ludzie zawsze postępowali bezlitośnie wobec zwierząt, a kiedy zdali sobie sprawę ze swojej niegodziwości, zaczęli, jeśli nie kochać wszystkie bez wyjątku (gdyż najspokojniej w świecie nadal je zjadają), to przynajmniej przychylnie się o nich wyrażać. Jeżeli na dodatek uświadomimy sobie, że media, szkoła, instytucje publiczne muszą zabiegać o wybaczenie za tyle krzywd wyrządzonych ludziom, widzimy, jak korzystną pod względem etycznym i psychologicznym rzeczą jest położenie nacisku na dobroć dla zwierząt. Pozwala się umierać dzieciom z Trzeciego Świata, ale dzieci z Pierwszego Świata zachęca się do szanowania nie tylko ważki i króliczka, ale także wieloryba, krokodyla i węża.

Proszę zważyć, że takie działanie wychowawcze jest samo w sobie właściwe. Przesadna jest natomiast obrana technika perswazji. Chcąc pokazać, że zwierzęta godne są tego, by żyć, uczłowiecza się je i sprowadza do poziomu zdziecinnienia. Nie mówi się, że mają prawo do życia, nawet jeśli zgodnie ze swoją naturą są dzikie i mięsożerne, ale wpaja się szacunek dla nich, przedstawiając je jako miłe, zabawne, dobroduszne, życzliwe, mądre i przezorne.

Nie ma stworzenia bardziej nieroztropnego niż leming, leniwszego niż kot, bardziej zaślinionego niż pies w sierpniu, bardziej śmierdzącego niż prosię, bardziej histerycznego niż koń, głupszego niż ćma, bardziej obślizgłego niż ślimak, jadowitszego niż żmija, obdarzonego mniejszą fantazją niż mrówka i mniej twórczego muzycznie niż słowik. Trzeba po prostu kochać — a jeśli nie możemy się na to w żaden sposób zdobyć, przynajmniej szanować — te i inne zwierzęta takimi, jakimi są. Dawne bajki w przesadnych barwach pokazywały złego wilka, natomiast bajki współczesne przesadzają pokazując wilka dobrego. Wieloryby należy ratować nie dlatego, że są dobre, ale dlatego, że stanowią cząstkę środowiska naturalnego i przyczyniają się do zachowania równowagi ekologicznej. Natomiast nasze dzieci są wychowane na mówiących wielorybach, wilkach, które zapisują się do trzeciego zakonu franciszkańskiego, a przede wszystkim na pokazywanym do znudzenia niedźwiadku Teddym.

Reklama, filmy animowane, książki z obrazkami są pełne misiów poczciwych jak aniołki, praworządnych i opiekuńczych pieszczoszków. Obelgą jest dla niedźwiedzia usłyszeć, że ma prawo żyć, bo — jak powiada się w moich stronach — jest grande e grosso, ciula e balosso. * Dlatego podejrzewam, że biedne dzieciaki z Central Parku zginęły nie na skutek niedostatku wykształcenia, lecz właśnie wskutek jego nadmiaru. Padły ofiarą gryzącego nas sumienia.

Pragnąc, by zapomniały, jak zły jest człowiek, zbyt intensywnie wmawiano im, że niedźwiedź jest dobry. Zamiast powiedzieć im uczciwie, co to takiego człowiek, a co zwierzę.

(1987)

* Wielki i gruby, ospały w miłości i oferma (dialekt lombardzki). Przyp. tłum.

JAK PISAĆ WSTĘPY

Celem niniejszego felietonu jest wyjaśnienie, jak opracować wstęp do tomu esejów, rozprawy filozoficznej, zbioru tekstów naukowych, wydanych, jeśli to tylko możliwe, w oficynie lub serii o randze uniwersyteckiej, i zgodnie z obyczajami zakorzenionymi w naszych czasach, w akademickiej etykiecie.

Przedstawię więc poniżej w ujęciu syntetycznym, dlaczego trzeba pisać wstępy, co powinny one zawierać i jak należy dobierać podziękowania. Zręczność w formułowaniu podziękowań świadczy o klasie uczonego. Może się zdarzyć, że ten czy ów z uczonych, będąc u kresu sił, uświadamia sobie, że nie ma komu dziękować. To nieważne, można wszak wymyślić długi wdzięczności. Wynik naukowy bez długu wdzięczności to rzecz podejrzana i komuś trzeba zawsze w jakiś sposób podziękować.

Przy pisaniu tego felietonu cennym wsparciem były mi długie lata zażyłego obcowania z tekstami naukowymi, które zawdzięczam ministrowi szkolnictwa Republiki Włoskiej, uniwersytetom w Turynie i Florencji, politechnice w Mediolanie oraz uniwersytetowi w Bolonii, a także New York University, Yale University, Columbia University.

Nigdy nie zdołałbym doprowadzić do końca pracy nad tym felietonem bez nieocenionej pomocy Pani Sabiny, dzięki niej bowiem mój gabinet, który o drugiej w nocy jest wypełniony stosem niedopałków i makulatury, rano powraca do jakiego takiego stanu. Szczególne podziękowanie winien jestem Barbarze, Simonie i Gabrieli, które nie szczędziły wysiłków, aby czas przeznaczony na refleksję nie był zakłócony przez międzykontynentalne rozmowy telefoniczne na temat zaproszeń na rozmaite kongresy, poświęcone zagadnieniom nie mającym nic wspólnego z moimi zainteresowaniami.

Niemożliwe byłoby również napisanie tego felietonu bez wytrwałego wsparcia mojej małżonki, która zawsze umiała, i umie, znosić humory i wybryki uczonego nękanego najwznioślejszymi problemami bytu, przywracając mu pogodę ducha uwagami o nicości wszelkiej rzeczy. Wytrwałość, z jaką podawała mi soki jabłkowe, przedstawiając je kłamliwie jako rafinowany słód prosto ze Szkocji, przyczyniła się ponad wszelką miarę i ponad wszelką dającą się udokumentować wiarę do faktu, że na tych stroniczkach zachował się skromny choćby ślad jasności umysłu.

Moi synowie podtrzymywali mnie na duchu i dawali miłość, energię i wiarę w siebie, tak niezbędne, żeby doprowadzić dzieło do końca. Ich całkowitej i olimpijskiej obojętności dla mojej pracy zawdzięczam siłę, która pozwoliła mi pisać ten felieton w codziennym zmaganiu z określeniem roli człowieka kultury w postmodernistycznym społeczeństwie. Im to zawdzięczam tak pomocną niezłomną wolę zaszycia się u siebie i pisania tego tekstu, wynikającą z obawy przed natknięciem się w korytarzu na ich najlepszych przyjaciół, których fryzjer trzyma się kryteriów estetycznych budzących sprzeciw mojego poczucia dobrego smaku.

Publikacja dzieła stała się możliwa dzięki wspaniałomyślności i wsparciu finansowemu Carla Caraccioli, Lia Rubiniego, Eugenia Scalfariego, Livia Zanettiego, Marca Benedetta oraz innych członków rady nadzorczej wydawnictwa Espresso SA. Szczególne podziękowanie winien jestem dyrektorowi administracyjnemu Milvii Fioraniemu, który swoim stałym, comiesięcznym wsparciem zapewnił mi możliwość kontynuowania badań. Jeśli ten skromny wkład w naukę dociera do rąk tylu czytelników, zawdzięczam to kierownikowi służb kolportażowych Guido Ferrantellemu.

Do przygotowania tekstu przyczyniła się firma Inż. Camillo Olivetti i Wspólnicy SA, która zaopatrzyła mnie w komputer M 21. Szczególne podziękowanie składam MicroPro za program Wordstar 2000. Wydruk tekstu powstał na Okidata Microline 182.

Nie mógłbym napisać powyższych i poniższych linijek bez serdecznego nalegania i słów zachęty ze strony doktora Giovanniego Valentiniego, doktora Enzo Golina oraz doktora Ferdinanda Adornata, którzy umacniali moją wytrwałość przyjaznymi, a zarazem natarczywymi codziennymi telefonami, ostrzegając, że *L'Espresso* idzie do druku i muszę za wszelką cenę znaleźć temat do niniejszego felietonu.

Oczywiście, w nic, co napisałem na tych stroniczkach, nie jest zaangażowany ich autorytet naukowy, wszystko bowiem, jeśli chodzi o poprzednie i przyszłe felietony, a także o ten dzisiejszy, należy zapisać na konto moich przewin.

(1987)

JAK BYĆ PREZENTEREM TV

Miałem okazję zaznać niezwykłego przeżycia, kiedy Akademia Nauk Wysp Svalbard wysłała mnie, bym przez kilka lat badał cywilizację Bonga, która kwitnie na Ziemi Nieznanej i Wyspach Szczęśliwych.

Bongowie robią mniej więcej wszystko to co i my, ale ujawniają przy tym zadziwiającą predyspozycję do posługiwania się pełną informacją. Nie znają sztuki domniemywania i domysłu.

Kiedy my, na przykład, zaczynamy mówić, używamy oczywiście słów, ale nie mamy potrzeby zawiadamiania o fakcie mówienia. Natomiast Bonga, który rozmawia z innym Bongą, zaczyna tak: ,,Uwaga, teraz będę mówił i używał słów". My budujemy domy, a następnie (wyłączając Japończyków) podajemy naszym gościom numer domu, nazwisko lokatorów, klatkę schodową A lub B. Bongowie na każdym domu piszą przede wszystkim słowo ,,dom", a następnie na specjalnych karteczkach wskazują poszczególne cegły, dzwonek, obok drzwi zaś piszą ,,drzwi". Kiedy dzwoni się do mieszkania pana Bongi, ten otwiera drzwi oznajmiając: ,,Teraz otwieram drzwi", a następnie się przedstawia. Jeśli zaprasza cię na kolację, prosi, byś usiadł i powiada: ,,To jest stół, a to są krzesła!" Następnie tryumfującym tonem zawiadamia: ,,A teraz pokojówka! Oto Rosina. Zapyta, co by pan zjadł, i postawi na stole pańskie ulubione danie!" To samo w restauracjach.

Ciekawą rzeczą jest obserwowanie Bongów w teatrze. Gasną światła i ukazuje się aktor, który mówi: „To jest kurtyna!" Odsłania się kurtyna i na scenę wchodzą aktorzy, by odegrać, powiedzmy, *Hamleta* albo *Chorego z urojenia*. Ale każdy aktor jest przedstawiany z prawdziwego imienia i nazwiska, a następnie z imienia osoby, którą gra. Kiedy aktor kończy mówić, wyjaśnia: „Teraz pauza!" Mija kilka sekund i dopiero wtedy zaczyna swą kwestię następny aktor. Nie warto nawet dodawać, że na zakończenie pierwszego aktu jeden z aktorów wychodzi na proscenium i obwieszcza: „A teraz nastąpi antrakt".

Uderzyło mnie to, że ich widowiska estradowe składają się, podobnie jak u nas, ze scen mówionych, piosenek, duetów i scen baletowych. Ale byłem przyzwyczajony do tego, że dwaj komicy odgrywają swój skecz, potem jeden z nich zaczyna śpiewać piosenkę, potem obaj znikają, a na scenę wbiegają piękne dziewczęta, które wykonują fragment taneczny, by widz miał jakąś odmianę, a potem balet znika i pojawiają się znowu aktorzy. Natomiast u Bongów dwaj aktorzy zapowiadają, że teraz będzie scenka komiczna, potem informują, że zaśpiewają w duecie, i dodają, że będzie to piosenka żartobliwa, a wreszcie aktor schodzący jako ostatni ze sceny mówi: „A teraz balet!" Najbardziej zadziwiło mnie to, że podczas antraktu na kurtynie pojawiły się napisy reklamowe, co zdarza się także u nas. Ale po zapowiedzeniu antraktu aktor oznajmiał zawsze: „A teraz reklama!"

Długo zastanawiałem się, skąd bierze się u Bongów ta obsesyjna potrzeba precyzji. Być może, powiadałem sobie, są tępawi, i jeśli ktoś nie mówi im: „Teraz cię witam", nie są w stanie pojąć, że się ich wita. I częściowo jest to zapewne prawda. Istnieje jednak jeszcze inny powód. Bongowie żywią kult widowiska i czują potrzebę zmieniania wszystkiego w widowisko, choćby domyślne. Podczas pobytu u Bongów miałem także sposobność zrekonstruowania historii oklasków. W czasach starożytnych Bongowie klaskali z dwóch powodów: albo byli zadowoleni z pięknego widowiska, albo chcieli uhonorować kogoś wielce zasłużonego. Po natężeniu oklasków można było poznać, kto jest bardziej ceniony i kochany. Już w dawnych czasach sprytni impresaria, chcąc przekonać widzów, że oglądają znakomity spektakl teatralny, usadzali wśród publiczności klakierów, którzy mieli obowiązek bić brawa, nawet jeśli nie było po temu najmniejszego powodu. Kiedy zaczęły się widowiska telewizyjne, Bongowie ściągali na salę krewnych organizatorów i sygnałem świetlnym (niewidocznym dla telewidzów) dawali znak, kiedy trzeba klaskać. Telewidzowie bardzo szybko spostrzegli, na czym polega sztuczka. U nas oklaski zostałyby całkowicie zdyskredytowane. U Bongów nie. Również publiczność oglądająca widowisko w domu zapragnęła bić brawa i całe gromady Bongów całkiem dobrowolnie pchały się na widownię telewizyjną, gotowe płacić, byleby sobie poklaskać. Niektórzy zdecydowali się nawet na specjalne kursy. A ponieważ teraz już wszyscy wiedzieli wszystko, sam prezenter mówił po prostu na głos w odpowiednich momentach: „A teraz burzliwe oklaski". Jednak już wkrótce widzowie na sali zaczęli klaskać bez żadnej zachęty ze strony prezentera. Wystarczyło, by spytał kogoś, jaki zawód wykonuje, a pytany odparł: „Obsługuję komorę gazową u rakarza", by rozlegały się burzliwe brawa. Bywało i tak, że prezenter, zupełnie jak u nas przy scenkach Petroliniego, nie zdążył powiedzieć: „Dobry wieczór", gdyż po „dobry" wybuchała istna burza oklasków. Prezenter mówił: „Jesteśmy z wami jak w każdy czwartek", a publiczność nie tylko oklaskiwała, ale także zrywała boki ze śmiechu.

Oklaski stały się tak niezbędne, że nawet w programach reklamowych, kiedy osoba zachwalająca jakiś towar mówiła: „Kupujcie środek odchudzający Pip", rozlegała się salwa braw. Telewidzowie doskonale wiedzieli o tym, że zachwalający nie ma przed sobą sali wypełnionej ludźmi, ale odczuwali potrzebę oklasków, w przeciwnym bowiem razie program wydałby się im jakiś sztuczny i zmieniliby kanał. Bongowie oczekują, że telewizja pokazywać im będzie życie prawdziwe, takie jakie jest, bez żadnej lipy. Oklaski to sprawa publiczności (która jest jak my), nie zaś aktora (który udaje), stanowią więc jedyną gwarancję, że telewizja to okno na świat. W przygotowaniu jest właśnie program, w którym wystąpią wyłącznie klaszczący aktorzy i który będzie się nazywał „Teleprawda". Bongowie chcą czuć się zakorzenieni w życiu, więc klaszczą bez ustanku, nie potrzebują nawet do tego telewizji. Klaszczą podczas pogrzebów, i to nie dlatego, że są zadowoleni albo że chcą sprawić przyjemność zmarłemu, lecz by nie poczuć się cieniem wśród cieni, by czuć się żywymi i rzeczywistymi jak obrazy oglądane na telewizyjnym ekranie. Pewnego dnia byłem u kogoś, kiedy wszedł jakiś krewny i oznajmił: „Babcię dopiero co przejechał TIR!" Wszyscy wstali i zaczęli klaskać.

Nie mogę powiedzieć, by Bongowie stali na niższym niż my szczeblu rozwoju. Jeden z nich powiedział mi nawet, że zamierzają podbić cały świat. Po powrocie do ojczyzny przekonałem się, że ten zamysł nie jest zgoła platoniczny. Kiedy wieczorem włączyłem telewizor, zobaczyłem prezentera, który przedstawiał swoje asystentki, potem oświadczył, że wystąpi z monologiem komicznym, na koniec zaś powiedział: „A teraz balet!" Pewien dystyngowany pan, który rozprawiał o ważkich problemach politycznych z innym dystyngowanym panem, przerwał w pewnym momencie i ogłosił: „A teraz przerwa na reklamę". Niektórzy konferansjerzy przedstawiali nawet publiczność. Inni kamerzystę, który miał ich w obiektywie. Wszyscy klaskali.

Wzburzony wyszedłem z domu i udałem się do restauracji sławnej ze swojej *nouvelle cuisine*. Podszedł kelner i podał mi trzy liście sałaty. Powiedział: „Oto surówka z sałaty longobardzkiej, przyprószonej drobniutko siekaną rukwią z Lomelliny, marynowana w naszym aromatycznym occie i skropiona sokiem z tłoczonych na zimno umbryjskich oliwek".

(1987)

JAK UŻYWAĆ PIEKIELNEGO DZBANUSZKA

Istnieje wiele rozmaitych sposobów parzenia kawy. Jest kawa neapolitańska, jest z ekspresu, turecka, brazylijska cafesinho, francuska café filtre, wreszcie kawa amerykańska. Każda może być doskonała w swoim rodzaju. Kawa amerykańska bywa miksturą o temperaturze stu stopni, serwowaną w plastikowych szklankach, co daje efekt termosowy, i wmuszaną przeważnie na stacjach w celach ludobójczych, ale kawa zaparzona w urządzeniu zwanym tam *percolator*, kawa, jaką dostaje się w niektórych domach albo w skromnych barach, gdzie podają ją do jaj na bekonie, jest wyborna, pachnąca, pije się ją jak wodę, tyle że później serce zaczyna łomotać, gdyż jedna filiżanka zawiera więcej kofeiny niż cztery kawy z ekspresu.

Osobną kategorię stanowi kawa-pomyje. Uzyskuje się ją zazwyczaj ze zbutwiałego jęczmienia, kości trupa i paru ziarenek prawdziwej kawy wymiecionych wraz ze śmieciami w przychodni dla weneryków. Rozpoznaje się ją nieomylnie po woni stóp wymoczonych w wodzie, która pozostała po zmywaniu. Podają ją w więzieniach, zakładach poprawczych, wagonach sypialnych i luksusowych hotelach. Rzeczywiście, jeśli zamieszkasz w Plaza Majestic, Maria Jolanda & Brabante, Des Alpes et des Bains, możesz zamówić choćby kawę ekspresową, a i tak dociera do twojego pokoju pokryta praktycznie warstwą

77

lodu. Jeśli chcesz tego uniknąć, zamawiasz continental breakfast i przygotowujesz się do zażywania rozkoszy, jaką zapewnia śniadanie podane do łóżka.

Continental breakfast składa się z dwóch bułeczek, jednego rogalika, homeopatycznej dawki soku pomarańczowego, zawijaska masła, pojemniczka z dżemem jagodowym, drugiego z miodem, trzeciego z dżemem morelowym, dzbanuszka z zimnym już mlekiem, rachunku na sto tysięcy lirów i piekielnego dzbanuszka z kawą-pomyjami. Dzbanuszek używany przez osoby normalne — lub poczciwy stary imbryczek, z którego wonny napój nalewa się prosto do filiżanki — umożliwia przepływ kawy przez wąski dziobek, część górna zaś jest wyposażona w takie czy inne urządzenie zabezpieczające — by dzbanek pozostawał zamknięty. Pomyje w Grand Hotelu albo wagonie sypialnym przynoszą ci w dzbanku o mocno wygiętym dziobku — przypominającym zniekształcony dziób pelikana — z niezwykle mobilną pokrywką, pomyślaną w ten sposób, by — przyciągana przez nieprzeparty *horror vacui* — ześlizgiwała się natychmiast po przechyleniu naczynia. Te dwie sztuczki sprawiają, że połowa kawy wylewa się od razu z piekielnego dzbanka na twoje croissants i dżemy, a następnie, dzięki ześliźnięciu się pokrywki, reszta rozpryskuje się po obrusie. W wagonach sypialnych dzbanuszki są przeciętnej jakości, ponieważ kołysanie wagonu pomaga skutecznie rozlać kawę, natomiast w hotelach winny być porcelanowe, aby pokrywka ześlizgiwała się w sposób łagodny, ciągły, ale i niechybny.

Jeśli chodzi o pochodzenie i uzasadnienie piekielnego dzbanuszka, mamy dwie szkoły myślenia. Szkoła fryburska utrzymuje, że urządzenie to pozwala kierownictwu hotelu udowodnić, że pościel, którą zastaniesz wieczorem, została zmieniona. Szkoła bratysławska twierdzi, że motywy mają charakter moralizatorski (por. Max Weber, *Die protestantische Ethik und der Geist des Kapitalismus*): piekielny dzbanuszek uniemożliwia wylegiwanie się w łóżku, gdyż spożywanie ciastka drożdżowego nasączonego kawą, gdy jest się owiniętym w mokrą od tejże kawy pościel, jest bardzo nieprzyjemne. Piekielnych dzbanuszków nie ma w handlu. Produkuje się je wyłącznie dla sieci wielkich hoteli i wagonów sypialnych. W więzieniach pomyje podaje się w blaszanych kubkach, gdyż prześcieradło przesiąknięte kawą byłoby słabo widoczne w ciemnościach, kiedy spuszczałby się po nim uciekający więzień. Szkoła fryburska sugeruje, by żadać od kelnera postawienia tacy ze śniadaniem na stoliku, a nie na łóżku. Szkoła bratysławska replikuje, że wprawdzie uniknie się w ten sposób rozlania kawy na pościel, ale do rozlania i tak dojdzie, tyle że poplamiona zostanie piżama (której codziennej zmiany hotel nie przewiduje); piżama czy nie — to nieważne, liczy się bowiem to, że kawa zawsze wyleje się na dolną część brzucha i wzgórek łonowy, powodując oparzenia, a tego lepiej byłoby wszak uniknąć. Na to zastrzeżenie szkoła fryburska wzrusza tylko ramionami, i doprawdy nie jest to reakcja najstosowniejsza.

(1988)

JAK ROZPLANOWAĆ CZAS

Kiedy telefonuję do dentysty, żeby umówić się na wizytę, a on mówi, że przez cały nadchodzący tydzień nie ma ani godziny wolnej — wierzę mu. To człowiek poważnie podchodzący do swojego zawodu. Kiedy jednak ktoś zaprasza mnie na kongres, do dyskusji przy okrągłym stole, pokierowania pracą zespołu, napisania eseju lub do jakiegoś jury, a ja mówię, że nie mam czasu — nie wierzy. „Ależ profesorze — powiada — ktoś taki jak pan zawsze znajdzie trochę czasu". Najwyraźniej nas, humanistów, nie uważa się za ludzi wykonujących poważny zawód, lecz za kogoś, kto przez okrągły dzień chodzi z kąta w kąt i nie ma nic do roboty.

Przeprowadziłem pewne obliczenie. Zachęcam kolegów wykonujących podobny jak ja zawód do sprawdzenia, czy jest ono poprawne. Rok nieprzestępny liczy 8760 godzin. Osiem godzin na sen, jedna na dźwignięcie się z łóżka i zabiegi toaletowe, pół godziny na rozbieranie się i postawienie na stoliku nocnym wody mineralnej, nie więcej jak dwie godziny na posiłki, i mamy 4170 godzin. Dwie godziny na poruszanie się po mieście, co daje 730 godzin.

Ponieważ prowadzę trzy dwugodzinne wykłady tygodniowo i poświęcam jedno popołudnie na konsultacje ze studentami, liczę, że uniwersytet zabiera mi w ciągu dwudziestu tygodni trwania semestru 220 godzin na zajęcia dydaktyczne, do czego dochodzą 24 godziny egzaminowania, 12 omawiania prac dyplomowych i 78 różnych posiedzeń i rad. Zakładając, że prowadzę w ciągu roku średnio pięć prac po 350 stronic każda, przy czym każdą stronicę czytam dwa razy, raz przed wprowadzeniem poprawek, drugi raz po poprawkach, z przeciętną szybkością trzy minuty na stronę, otrzymuję 175 godzin. Jeśli chodzi o ćwiczenia, wiele z nich przeglądają moi współpracownicy, uwzględniam więc tylko cztery na każdą sesję egzaminacyjną, po trzydzieści stronic każde, pięć minut na stronę jeśli się doliczy wstępną dyskusję, i oto mamy 60 godzin. Nie biorąc pod uwagę pracy naukowej, dochodzę do 1465 godzin.

Kieruję periodykiem z zakresu semiotyki „VS", który wydaje trzy trzystustronicowe numery rocznie. Pominąwszy maszynopisy, które czytam i odrzucam, potrzebuję dziesięciu minut na stronicę (ocena, poprawki, korekta), co daje 50 godzin. Prowadzę dwie serie wydawnicze, których tematyka wiąże się z moją pracą naukową, jeśli więc policzymy sześć książek rocznie, w sumie 1800 stron, dziesięć minut na stronę, da to 300 godzin. Tłumaczenia moich tekstów, esejów, książek, artykułów, a także sprawozdania z kongresów, biorąc jedynie pod uwagę te języki, których znajomość pozwala mi na kontrolę, to 1500 stronic rocznie, po dwadzieścia minut na stronę (przeczytanie, porównanie z oryginałem, dyskusja z tłumaczem — spotkania, telefon lub korespondencja), zabierają 500 godzin. Następnie idzie pisanie. Nawet jeśli przyjmie się, że nie piszę w danym momencie książki, a liczymy tylko eseje, wystąpienia na zjazdach, sprawozdania, szkice do wykładów i tak dalej, z łatwością dochodzimy do 300 stron. Załóżmy, że obmyślanie, notatki, samo pisanie, poprawianie zajmuje co najmniej godzinę na stronę, uzyskujemy 300 godzin. Zapiski na pudełku z zapałkami to poszukiwanie tematu, sporządzenie notatek, zaglądanie do jednej czy drugiej książki, pisanie, doprowadzanie do wymaganej objętości, wysłanie lub przedyktowanie, co zajmuje jakieś trzy godziny, licząc optymistycznie; mnożę przez 52 tygodnie i otrzymuję 156 godzin (nie biorę tu pod uwagę innych artykułów, pisanych okazjonalnie). A wreszcie korespondencja, której nie jestem w stanie przetrawić, choć poświęcam jej trzy dni w tygodniu, od dziewiątej do pierwszej, zabiera mi 624 godziny.

Obliczyłem, że gdybym w 1987 roku przyjął tylko dziesięć na sto propozycji i ograniczył się do konferencji ściśle związanych z uprawianą przeze mnie dziedziną, do przedstawienia prac prowadzonych przeze mnie i przez moich współpracowników oraz uczestniczenia w imprezach nie dających się uniknąć (uroczystości akademickie, posiedzenia zwoływane przez kompetentne ministerstwa), zebrałoby się 372 godziny efektywne (nie liczę przestojów). Ponieważ mam wiele zajęć poza miejscem zamieszkania, podróże zajęły mi 323 godziny. Założyłem w tym rachunku, że podróż na trasie Mediolan—Rzym, od chwili, kiedy wsiadam do taksówki, żeby pojechać na lotnisko, do zainstalowania się w Rzymie w hotelu i przybycia na miejsce posiedzenia, trwa cztery godziny. Podróż do Nowego Jorku to 12 godzin.

Wychodzi w sumie 8094 godziny. Jeśli odejmiemy tę liczbę od 8760 godzin w roku, pozostanie reszta wynosząca 666 godzin, to znaczy godzina i czterdzieści dziewięć minut dziennie, i ten czas poświęciłem na seks, spotkania z przyjaciółmi i krewnymi, pogrzeby, wizyty u lekarza, zakupy, sport i życie kulturalne. Jak widać, nie wliczyłem tutaj czasu lektury tekstów opublikowanych (książek, artykułów, komiksów). Zakładając, że czytałem podczas podróży, a więc przez 323 godziny, z szybkością jednej strony na pięć minut (samo czytanie plus notatki), mogłem przeczytać 3876 stron, co odpowiada 12,92 książek po 300 stronic każda. A papierosy? Jeśli uznamy, że znalezienie paczki, zapalenie i zgaszenie zajmuje pół minuty, przy sześćdziesięciu papierosach dziennie da to 182 godziny. Jak je wygospodarować? Muszę rzucić palenie.

(1988)

JAK KORZYSTAĆ Z TAKSÓWKI

W momencie, kiedy człowiek wsiada do taksówki, rodzi się problem ułożenia sobie poprawnych stosunków z taksówkarzem. Jest to osobnik, który okrągły dzień spędza za kierownicą, i to w warunkach ruchu miejskiego — czynność prowadząca do zawału serca albo załamania nerwowego — i jest w bezustannym konflikcie z innymi kierowcami. W wyniku tego jest znerwicowany i nienawidzi wszystkich stworzeń antropomorficznych. Skłania to osoby ceniące *radical chic* do wyrażania opinii, że wszyscy taksówkarze to faszyści. Tak jednak nie jest, taksówkarza nie interesują zagadnienia ideologiczne, nie cierpi manifestacji organizowanych przez związki, ale dlatego, że tamują ruch uliczny, nie zaś ze względu na barwy polityczne. Takie same uczucia żywiłby do defilady balilla.* Pragnie jedynie silnego rządu, który postawiłby pod ścianę wszystkich kierowców prywatnych i ustanowił rozsądną godzinę policyjną od szóstej rano do północy. Jest mizoginem, ale tylko w stosunku do kobiet wyruszających na miasto. Jeśli siedzą w kuchni — gotów jest je tolerować.

Włoscy taksówkarze dzielą się na trzy kategorie. Na tych, którzy podczas kursu wypowiadają powyższe poglądy; tych, którzy zaciekle milczą, demonstrując swoją

* Chodzi o dziecięcą organizację faszystowską z okresu faszyzmu. Przyp. tłum.

mizantropię poprzez prowadzenie samochodu; tych wreszcie, którzy rozładowują napięcie przez czystą narrację, opowiadając, co się im przytrafiło z jakimś pasażerem. Chodzi tutaj o całkowicie pozbawione znaczenia przenośnego *tranches de vie*, które, opowiedziane w barze, kazałoby właścicielowi wyrzucić narratora za drzwi, z wyjaśnieniem, że najwyższy już czas iść do łóżka. Ale taksówkarz uważa je za ciekawe i zaskakujące, dobrze więc komentować je często: „Patrzcie, co za ludzie, czego się człowiek nasłucha, naprawdę to się panu zdarzyło?" Tego rodzaju uczestniczenie w rozmowie nie wyrywa taksówkarza z jego konfabulacyjnego autyzmu, ale sprawia, że czujesz się lepszym człowiekiem.

Kiedy w Nowym Jorku Włoch, przeczytawszy na plakietce nazwisko w rodzaju De Cutugnatto, Esippositto, Perquocco, ujawnia swoją narodowość, naraża się na poważne niebezpieczeństwo. Taksówkarz zaczyna bowiem przemawiać jakimś językiem, którego nigdy nie słyszałeś, i okropnie się obraża, jeśli go nie rozumiesz. Musisz natychmiast wyjaśnić po angielsku, że mówisz wyłącznie dialektem ze swoich stron. Zresztą taksówkarz jest i tak przekonany, że teraz naszym językiem narodowym jest angielski. Ogólnie jednak rzecz biorąc taksówkarze nowojorscy noszą nazwiska żydowskie albo nieżydowskie. Ci z nazwiskami żydowskimi są reakcjonistami i syjonistami. Ci z nazwiskami nieżydowskimi są reakcjonistami i antysemitami. Nie wygłaszają twierdzeń, żądają deklaracji. Trudno jest przyjąć właściwą postawę wobec tych, którzy noszą nazwiska kojarzące się niejasno z basenem śródziemnomorskim albo rosyjskie, gdyż wtedy nie wiadomo, czy są Żydami, czy nie. Aby uniknąć incydentów, należy wtedy powiedzieć, że zmieniłeś zamiar i nie chcesz już jechać na skrzyżowanie Siódmej z Czternastą, ale na Charlton Street. Taksówkarz wpada we wściekłość, staje i wyrzuca cię z wozu, gdyż taksówkarze w Nowym Jorku znają tylko ulice opatrzone numerami, tych zaś z nazwami — nie.

Natomiast taksówkarz paryski nie zna żadnych nazw. Jeśli poprosisz, żeby zawiózł cię na place Saint-Sulpice, dowozi cię pod Odéon, mówiąc, że nie wie, jak jechać dalej. Przedtem jednak będzie długo lamentował nad twoimi żądaniami, nie szczędząc różnych „ah, ça monsieur, alors...” Na propozycję, żeby zajrzał do planu miasta, albo nie odpowiada, albo daje do zrozumienia, że jeśli potrzebna ci konsultacja bibliograficzna, powinieneś zwrócić się do archiwisty paleografa z Sorbony. Osobną kategorię stanowią ludzie Wschodu; niezwykle serdecznie zapewniają, że nie masz się czym przejmować, że zaraz znajdą wskazane miejsce, potem objeżdżają trzykrotnie wielkie bulwary, a wreszcie pytają, czy zrobi ci jakąś różnicę, jeśli zamiast na Gare du Nord zawiozą cię na Gare de l'Est, bo przecież i tam nie brak pociągów.

W Nowym Jorku nie możesz wezwać taksówki telefonicznie, chyba że należysz do jakiegoś klubu. W Paryżu owszem. Tyle że i tak nie przyjedzie. W Sztokholmie możesz korzystać wyłącznie z taksówki wezwanej telefonicznie, gdyż nie ufają pierwszemu lepszemu z ulicy. Żeby jednak uzyskać odpowiedni numer telefonu, musisz zatrzymać przejeżdżającą taksówkę, której kierowca jest jednak, jak się rzekło, nieufny.

Taksówkarze niemieccy są uprzejmi i nienaganni, milczą, naciskają tylko pedał gazu. Kiedy wysiadasz blady jak ściana, rozumiesz już, dlaczego przyjeżdżają później na wypoczynek do Włoch i jadą ci przed nosem sześćdziesiątką pasem szybkiego ruchu.

Wyścig taksówkarza z Frankfurtu w porsche i taksówkarza z Rio w poobijanym volkswagenie wygrałby jednak taksówkarz z Rio, między innymi dlatego, że nie zatrzymuje się na światłach. Gdyby się zatrzymał, podjechałby inny poobijany volkswagen, pełen chłopców, którzy natychmiast wyciągnęliby ręce i zabrali mu zegarek.

Wszędzie na świecie jest jeden niezawodny sposób rozpoznawania taksówkarza. To ten, który nigdy nie ma drobnych, żeby wydać resztę.

(1988)

JAK PROSTOWAĆ COŚ, CO ZOSTAŁO SPROSTOWANE

List prostujący. Szanowny Panie Dyrektorze, nawiązując do podpisanego przez Aletesa Veritasa artykułu *Kiedy Idy, ja mam zwidy*, który ukazał się w poprzednim numerze Pańskiej gazety, pozwalam sobie wyjaśnić co następuje. Nie jest prawdą, że byłem obecny przy zamordowaniu Juliusza Cezara. Jeśli zechce Pan łaskawie zajrzeć do załączonego świadectwa urodzenia, przekona się, że przyszedłem na świat w miejscowości Molfetta dnia 15 marca 1944 roku, a więc wiele wieków po tym nieszczęsnym czynie, nad którym zresztą zawsze ubolewałem. Pana Veritasa zwiodły zapewne moje słowa odnoszące się do faktu, że dzień 15 marca czterdziestego czwartego czczę zawsze w gronie paru przyjaciół.

Jest również nieprawdą, jakobym powiedział później niejakiemu Brutusowi: „Zobaczymy się pod Filippi". Wyjaśniam, że nie miałem żadnych kontaktów z panem Brutusem, a nawet nie wiedziałem do wczoraj, iż ktoś taki istnieje. Podczas krótkiej rozmowy telefonicznej rzeczywiście powiedziałem panu Veritasowi, że wkrótce zobaczę się z pewnym radcą z wydziału ruchu drogowego, Filippim, lecz zdanie to padło w kontekście rozmowy o problemach związanych z ruchem samochodowym. Nie było mowy o tym, że najmowałem zdrajcę, żeby przygotował zamach na plugawego Juliusza Cezara, lecz tylko, że „namawiałem rajcę, żeby zamknął dla ruchu plac Juliusza Cezara".

Ściskam dłoń, z poważaniem Preciso Sprostovanno.

Odpowiedź Aletesa Veritasa. Jak widać, Pan Sprostovanno nie zaprzecza w istocie twierdzeniu, że Juliusz Cezar został zamordowany podczas Idów marcowych 44 r. Nie można również przejść do porządku dziennego nad faktem, że Pan Sprostovanno w szczególny sposób świętuje z przyjaciółmi rocznicę 15 marca 44 r. Właśnie ten osobliwy obyczaj chciałem ujawnić w moim artykule. Być może Pan Sprostovanno ma jakieś osobiste powody, żeby urządzać tego dnia huczne libacje, przyzna chyba jednak, że tego rodzaju zbieżność jest co najmniej zastanawiająca. Pamięta zresztą, jak sądzę, że w toku długiego i poważnego wywiadu, jakiego zechciał mi udzielić przez telefon, padło z jego ust zdanie: „Uważam, iż trzeba zawsze oddawać Cezarowi, co cesarskie". Jednocześnie ze źródła bardzo bliskiego Panu Sprostovanno — źródła, którego wiarygodności nie mam powodu podważać — dowiedziałem się, że Cezarowi istotnie dano, ale dwadzieścia trzy pchnięcia sztyletem.

Warto podkreślić, że w całym swoim liście Pan Sprostovanno unika jasnego przyznania, iż zadał te pchnięcia. Jeśli chodzi o mozolne prostowanie sprawy Filippi, mam w tej chwili przed oczyma notes, w którym zapisałem, i nie może być co do tego cienia wątpliwości, że Pan Sprostovanno nie powiedział: „Zobaczę się z Filippim", lecz: „Zobaczymy się pod Filippi".

Mogę zapewnić, że tak samo rzecz się przedstawia z brzemiennymi w groźby słowami. Zaglądam do notatnika i widzę, że stoi tam jak byk: „Na...ałem zdrajcę, żeby zam. pl. Juliusza Cezara". Obrona straconych pozycji i słowne igraszki nie zdejmą z niczyich barków ciężaru odpowiedzialności, kneblowanie prasy nie służy sprawie prawdy.

(1988)

JAK WRZUCAĆ DO KOSZA TELEGRAMY

Kiedyś, po otrzymaniu rankiem poczty człowiek otwierał koperty zamknięte i wyrzucał otwarte. Teraz instytucje, które niegdyś wysyłały koperty otwarte, zaklejają je, a nawet wysyłają jako listy polecone. Trudzisz się, żeby otworzyć kopertę, i znajdujesz w środku zaproszenie, z którym nie wiesz co zrobić. Bierze się to między innymi stąd, że bardziej wymyślne koperty są w dzisiejszych czasach zamknięte w hermetyczny sposób, wobec którego bezsilny jest nożyk do papieru, a także gryzienie i ciosy wielkim nożem kuchennym. Zamiast kleju jest tam zastosowany szybko tężejący cement dentystyczny. Na szczęście możemy zaoszczędzić sobie trochę wysiłku, gdyż anonse sprzedaży promocyjnej zaopatrzone są na wierzchu w wypisane szczerozłotym literami słówko „gratis". Od dziecka wpajano mi zdrową zasadę, że kiedy proponują ci coś gratis, trzeba natychmiast telefonować na policję.

Ale wszystko idzie ku gorszemu. Kiedyś z zaciekawieniem, nawet drżącymi rękami, otwierał człowiek telegramy: albo przynosiły bowiem złą nowinę, albo zawiadamiały o nagłej śmierci bogatego wujaszka z Ameryki. W dzisiejszych czasach telegram przysyła każdy, kto nie ma ci absolutnie nic do powiedzenia.

Są trzy rodzaje telegramów. Rozkazujący: „Zapraszamy pojutrze ważne posiedzenie uprawa łubinu w Aspromonte z udziałem podsekretarza rolnictwa, prosimy podać pilnie teleksem godzinę przybycia" (następują zajmujące dwa blankiety skróty i numery, wśród których gubi się naturalnie, i na szczęście, podpis pretensjonalnego nadawcy). Porozumiewawczy: „Zgodnie z ustaleniami potwierdzamy Pański udział w konferencji paraplegia u koala, prosimy o bezzwłoczny kontakt teleksem". Naturalnie żadnych ustaleń nie było albo ich propozycja nadejdzie wkrótce w liście. Kiedy jednak list przychodzi, jest nieaktualny, gdyż telegram trafił już do kosza, i list wędruje w jego ślady. Zagadkowy: „Data okrągłego stołu informatyka a krokodyle zmieniona ze znanych powodów, prosimy o potwierdzenie nowej daty". Jaka znowu data? Jakie potwierdzenie? Do kosza!

Ostatnio jednak telegram został wyparty przez *overnight express*. Kosztuje tyle, że przyprawiłoby to o bladość samego De Benedettiego, nie ma mowy o otwarciu bez użycia nożyc do drutu kolczastego, pomyślany jest zaś tak, byś nie mógł zorientować się od razu, jaka jest zawartość koperty, gdyż musisz przedtem pokonać zaporę rozmaitego rodzaju taśm samoprzylepnych. Czasem powodem przysłania jest czysty snobizm (jak choćby w przypadku obrzędowych uroczystości unicestwiania zbadanych przez Maussa). Wreszcie znajdujemy w środku bilecik ze słowem „ciao" (ale traci się parę godzin, zanim się go znajdzie, gdyż przesyłka ma wymiary worka na śmieci, a nie wszystkich natura obdarzyła ramionami równie długimi jak mister Hyde'a). Częściej przesyłka stanowi rodzaj szantażu i zawiera kupon na odpowiedź. Wysyłający mówi w domyśle: „Wydałem kupę pieniędzy, żeby powiedzieć ci to, co powiedziałem, sposób wysłania świadczy o pilności sprawy i o tym, jaki niepokój mnie dręczy, na dodatek z góry opłaciłem odpowiedź, jeśli więc nie odpiszesz, będziesz kanalią". Tę bezczelność spotyka zasłużona kara. Od jakiegoś czasu otwieram tylko te *overnight*, o których dostarczenie wyraźnie poprosiłem przez telefon. Pozostałe wędrują do kosza, ale i tak przysparzają kłopotu, bo trzeba częściej wyrzucać śmieci. Marzą mi się gołębie pocztowe.

Często telegramy i przesyłki *overnight* zawiadamiają o przyznaniu nagrody. Na tym świecie istnieją odznaczenia i nagrody, na które każdy jest łasy (Nobel, Złote Runo, Order Podwiązki, Loteria Noworoczna), i inne, które same się pchają do rąk, bylebyś zechciał je przyjąć. Jeśli ktoś chce wylansować nową pastę do butów, prezerwatywę z opóźniaczem albo kąpiele siarkowe, przyznaje nagrodę. Dowiedziono już, że znalezienie jurorów nie nastręcza trudności. Gorzej z kandydatami do nagród. Lub raczej znaleziono by takich, gdyby nagradzano młodzieńców stojących na progu kariery, ale wtedy nie zjawiłaby się prasa ani telewizja. Tak więc osobą nagrodzoną musi być co najmniej Rubbia. Gdyby jednak Rubbia chodził odbierać wszystkie nagrody, jakie mu przyznają, koniec z pracą naukową. Telegram zawiadamiający o nagrodzie musi być zatem utrzymany w tonie rozkazującym i dawać do zrozumienia, że w razie odmowy grożą poważne sankcje: „Mamy przyjemność zawiadomić, że dzisiejszego wieczoru, za pół godziny, zostanie panu przyznane Złote Suspensorium, a jednocześnie informujemy, że Pańska obecność jest niezbędna, by jury głosowało jednomyślnie i bezinteresownie. W przeciwnym razie będziemy musieli wybrać kogoś innego". Osoba wysyłająca tego rodzaju telegram spodziewa się, że adresat podskoczy na krześle i wykrzyknie: „Nie, ja, ja!"

Byłbym zapomniał. Są jeszcze widokówki z Kuala Lumpur podpisane „Janek". Jaki Janek?

(1988)

JAK SIĘ ZACZYNA, JAK KOŃCZY

W moim życiu był pewien dramat. Podczas studiów na uniwersytecie w Turynie, gdzie uzyskałem stypendium, mieszkałem w domu akademickim. Pozostały mi z tamtych lat miłe wspomnienia i głęboka odraza do tuńczyka. Stołówka była przy każdym posiłku otwarta przez półtorej godziny. Ten, kto zjawił się w ciągu pierwszej półgodziny, dostawał danie przygotowane na ten dzień, dla pozostałych był już tylko tuńczyk. Ja byłem zawsze wśród tych pozostałych. Jeśli pominie się miesiące letnie oraz niedziele, okaże się, że zjadłem 1920 posiłków składających się z tuńczyka. Nie to było jednak dramatem.

Rzecz w tym, że mieliśmy puste kieszenie, a byliśmy złaknieni także kina, muzyki i teatru. Jeśli chodzi o teatr Carignano, znaleźliśmy cudowne rozwiązanie. Przychodziło się dziesięć minut przed początkiem przedstawienia, podchodziło do pana (jakże się nazywał?), szefa klakierów, ściskało mu rękę wsuwając do dłoni sto lirów, on zaś pozwalał wejść. Byliśmy klaką płacącą.

Tak się jednak składało, że akademik zamykano nieuchronnie o północy. Ci, którzy byli w tym momencie poza akademikiem, już poza nim zostawali, nie było bowiem ograniczeń o charakterze dyscyplinarnym i każdy student mógł się tam nie pojawiać przez cały miesiąc, jeśli tak mu się spodobało. Oznaczało to jednak, że za dziesięć dwunasta trzeba było opuścić teatr i pędzić na łeb, na szyję do celu. Ale za dziesięć dwunasta sztuka się nie kończyła. Wskutek tego przez cztery lata obejrzałem wszystkie arcydzieła teatralne, tyle że wszystkie bez ostatnich dziesięciu minut.

Tak więc nigdy w życiu nie dowiedziałem się, co zrobił Edyp, kiedy poznał straszliwą prawdę, co się stało z sześcioma postaciami w poszukiwaniu autora, czy Oswald Alving został uratowany dzięki penicylinie, czy Hamlet doszedł w końcu do wniosku, że warto być. Nie wiem, kim jest pani Ponza, czy Ruggero Roggeri — Sokrates — wypił cykutę, czy Otello spoliczkował Jagona, zanim wyruszył w drugą podróż poślubną, czy chory z urojenia doszedł do zdrowia, czy wszyscy pili z Giannettacciem, jak skończyło się Mila di Codro. Myślałem, że jestem jedynym śmiertelnikiem dotkniętym taką ignorancją, kiedy przypadkowo, snując wspominki z moim przyjacielem Paolem Fabbrim, odkryłem, że jego od wielu lat trapi coś dokładnie odwrotnego. W czasach studenckich pracował nie wiem już w jakim teatrze uniwersyteckim i oddzierał wchodzącym widzom kupony od biletów. Z powodu licznych spóźnialskich mógł wejść na salę dopiero po drugim akcie. Widział, jak Lir, ślepy i w stroju w nieładzie, miota się z trupem Kordelii w ramionach, lecz nie wiedział, co doprowadziło oboje do tego nędznego stanu. Słyszał, jak Mila krzyczy, że płomień jest piękny, i zachodził w głowę, jak doszło do tego, iż pieką na ruszcie dziewczynę o tak wzniosłym umyśle. Nie był w stanie pojąć, dlaczego Hamlet ma na pieńku ze swoim stryjem, który też robił wrażenie człowieka porządnego. Patrzył, jak Otello robi to, co zrobił, i nie pojmował, dlaczego taką żonkę kładzie się pod poduszką zamiast na niej.

Jednym słowem, dzieliliśmy się na przemian zwierzeniami. I odkryliśmy, że czeka nas wspaniała starość.

Siedząc na schodkach wiejskiego domu albo na ławeczce w parku, całymi latami będziemy sobie opowiadać, jeden zakończenia, drugi początki, i wydawać pełne zdumienia okrzyki przy odkrywaniu wcześniejszych wydarzeń lub katharsis.

— Niemożliwe? Jak powiedział?

— „Mamo, pragnę słońca!"

— No tak, w takim razie było już po nim.

— Tak, ale co się właściwie stało?

Szepnąłem mu parę słów do ucha.

— Mój Boże, co za rodzinka, teraz wszystko jasne...

— Ale opowiedz mi o Edypie...

— Niewiele jest do opowiadania. Matka wiesza się, a on oślepia.

— Biedaczysko. Nie on jeden. Dawano mu to do zrozumienia na tysiąc sposobów.

— Mnie też ciągle to dręczy. Jak mógł się nie domyślić?

— Postaw się na jego miejscu, przecież kiedy zaczyna się dżuma, on jest już królem i szczęśliwym małżonkiem...

— Kiedy więc żenił się z własną mamą, niczego nie...

— Ni w ząb, i to jest najlepsze.

— Jak u Freuda. To przechodzi pojęcie.

Będziemy więc szczęśliwi? Czy też utracimy na zawsze tę świeżość, która pozwala przyjmować sztukę tak, jakby była życiem, jakbyśmy włączali się w momencie, kiedy karty zostały rozdane, i opuszczali grę, nie wiedząc, jak wszystko się skończy?

(1988)

JAK NIE WIEDZIEĆ, KTÓRA GODZINA

Czasomierz, którego opis czytam (Patek Philippe, kaliber 89), jest zegarkiem kieszonkowym, zabezpieczonym podwójną kopertą z osiemnastokaratowego złota i wyposażonym w 33 funkcje. Przedstawiający go periodyk nie podaje ceny — jak sądzę, z powodu szczupłości miejsca (choć przecież wystarczyłoby zapisać ją w miliardach, opuszczając parę zer). W stanie głębokiej frustracji wychodzę, żeby kupić sobie nowy casio za 50 tysięcy lirów — zupełnie jak ci, którzy oszaleli na punkcie ferrari i chcąc zaspokoić jakoś swoje pragnienie kupują radio-budzik. Z drugiej strony jednak, żeby nosić zegarek kieszonkowy, musiałbym kupić stosowną kamizelkę.

Mógłbym atoli — rozmyślam — trzymać go na stole. Mijałyby godziny, a ja znałbym przez cały czas dzień miesiąca i tygodnia, miesiąc, rok, dekadę i wiek, poza tym rok cyklu przestępnego, minutę i sekundę według czasu urzędowego, godzinę, minutę i sekundę w innej wybranej strefie czasowej, a także temperaturę, czas gwiezdny, fazy księżyca, porę wschodu i zachodu słońca, zrównania dnia z nocą, położenie Słońca w zodiaku, nie mówiąc już o tym, że mógłbym poczuć rozkoszny dreszczyk, smak nieskończoności, wpatrując się w kompletną i ruchomą mapę nieba albo unieruchamiając i przesuwając rozmaite tarcze i wskazówki chronometru, decydując dzięki wbudowanemu w zegarek budzikowi, kiedy zatrzymać się na chwilę. Byłbym zapomniał. Mógłbym także zobaczyć, która godzina. Ale niby po co?

Gdybym był posiadaczem tego cudu, z obojętnością podchodziłbym do tego, że jest akurat dziesięć po dziesiątej. Pilnowałbym raczej pory wschodu i zachodu słońca (mógłbym to czynić nawet w ciemni fotograficznej), sprawdzałbym, jaka jest temperatura, stawiałbym horoskopy, wpatrzony w niebieską tarczę marzyłbym w ciągu dnia o gwiazdach, które zobaczę w nocy, noce zaś spędzałbym na medytacji nad czasem oddzielającym nas od Wielkanocy. Mając taki zegarek, nie musisz już przejmować się czasem zewnętrznym, gdyż z konieczności kontrolowałeś go przez całe życie, ten zaś czas, o którym snuje swą opowieść zegarek, przeobraża się z nieruchomego wizerunku wieczności w wieczność urzeczywistnioną, a zatem staje się tylko bajkową złudą, wytworzoną przez to magiczne zwierciadło.

Opowiadam o tym wszystkim, gdyż od jakiegoś czasu ukazują się czasopisma poświęcone w całości kolekcjonowaniu zegarów, okrytych patyną i barwnych, dosyć drogich, i zastanawiam się, czy nabywcami tego rodzaju wydawnictw są wyłącznie tacy czytelnicy, którzy przeglądają je niby książkę z bajkami o dobrych wróżkach, czy też są one przeznaczone dla potencjalnych właścicieli zegarów, jak niekiedy podejrzewam. Oznaczałoby to, że im bardziej zegar mechaniczny, cudowna suma wielowiekowych doświadczeń, staje się niepotrzebny, gdyż wypiera go zegarek elektroniczny za parę tysięcy lirów, tym silniejsze i powszechniejsze staje się pragnienie, by się takimi zadziwiającymi i doskonałymi maszynami czasu popisywać, by strzec ich z miłością, tezauryzować jako lokatę kapitału.

Jest rzeczą oczywistą, że te urządzenia nie mają bynajmniej mówić, która godzina. Obfitość funkcji i ich eleganckie rozplanowanie na licznych i symetrycznie umieszczonych tarczach sprawia, że kiedy człowiek chce dowiedzieć się, iż mamy trzecią dwadzieścia, wtorek, 24 maja, musi długo śledzić wzrokiem ruch licznych wskazówek i zapisywać w notesie pojawiające się kolejno rezultaty. Z drugiej strony zawistni eletronicy japońscy, zawstydzeni swoją niezmiennie praktyczną postawą, obiecują dzisiaj mikroskopijne urządzenia, z których da się odczytać ciśnienie barometryczne, wysokość nad poziomem morza, głębokość wody, które umożliwią countdown i w których znajdzie się miejsce na chronometr, termometr, oczywiście bazę danych, oczywiście czas we wszystkich strefach czasowych, osiem budzików, kalkulator i przelicznik walut, i które będą miały dźwiękową sygnalizację godzin.

Grozi nam, że wszystkie te zegarki, podobnie jak cały dzisiejszy przemysł informatyczny, mnożąc informacje, nie będą dostarczały już żadnej. Istnieje jeszcze inny opis urządzeń informatycznych: nie podają żadnych danych poza tymi, które odnoszą się do ich wewnętrznego funkcjonowania. Arcydziełem są niektóre zegarki dla pań, wyposażone w niewidoczne wskazówki, marmurkowe cyferblaty bez zaznaczonych godzin i minut, zaprojektowane tak, żebyśmy potrafili w najlepszym razie stwierdzić, że jest właśnie chyba przedwczoraj, jakaś godzina między południem a północą. Tak więc (sugeruje pośrednio projektant) dama, dla której przeznaczony jest taki zegarek, nie ma wyjścia, musi patrzeć na urządzenie głoszące własną chwałę.

(1988)

JAK POKONYWAĆ KONTROLĘ CELNĄ

Którejś nocy, po miłosnym spotkaniu zabiłem jedną z moich licznych kochanek, waląc ją cenną solniczką Celliniego. Nie tylko z tego powodu, że od dzieciństwa wychowywano mnie w poszanowaniu dla surowych zasad moralności, a niewiasta, która pobłaża zmysłom, nie zasługuje na pobłażanie, ale również ze względów estetycznych, czyli po to, by odczuć dreszcz, jaki daje zbrodnia doskonała.

Słuchałem z compact discu barokowej muzyki angielskiej i czekałem, aż zwłoki ostygną i krew zakrzepnie, a potem zabrałem się do ćwiartowania ciała za pomocą piły elektrycznej, starając się zresztą uszanować niektóre podstawowe prawa anatomiczne, składając w ten sposób hołd kulturze, bez której nie sposób mówić o uprzejmości i umowie społecznej. Następnie włożyłem części ciała do dwóch walizek ze skóry dziobaka, założyłem szary garnitur i udałem się w wagonie sypialnym do Paryża.

Jak tylko powierzyłem konduktorowi paszport i wiarygodną deklarację celną, w którą wpisałem parę setek tysięcy franków, jakie zabrałem ze sobą, zasnąłem snem sprawiedliwego, nic bowiem nie daje lepszego snu niż świadomość dobrze spełnionego obowiązku. Na komorze celnej nie pozwolili sobie na zakłócenie spokoju pasażerowi, który kupując bilet na jednoosobowy przedział pierwszej klasy deklarował ipso facto przynależność do klasy panującej, a tym samym oznajmiał, że jest poza wszelkim podejrzeniem. Sytuacja ta była dla mnie tym dogodniejsza, że chcąc uniknąć głodu narkotycznego, zabrałem ze sobą umiarkowaną ilość morfiny, osiemdziesiąt czy dziewięćdziesiąt dekagramów kokainy i jedno płótno Tycjana.

Nie będę opowiadał w tym miejscu, jak pozbyłem się w Paryżu biednych szczątków. Pozostawiam to wyobraźni czytelników. Wystarczy udać się do Beaubourgu i postawić walizy na którychś ruchomych schodach, a miną całe lata, zanim ktoś to zauważy. Albo zostawić je w przechowalni na Gare de Lyon. Mechanizm otwierania skrytki za pomocą hasła jest tak skomplikowany, że spoczywają tam tysiące paczek i nikt nawet nie podejmuje próby, żeby sprawdzić ich zawartość. Mógłbyś również wybrać prostszą metodę, usiąść przy stoliku w Deux Magots, a walizki porzucić przed księgarnią La Joie de Lire. Po kilku minutach nie zostanie po nich ślad, a dalej to już zmartwienie złodzieja. Nie mogę jednak zaprzeczyć, że wszystko to wprawiło mnie w stan napięcia, jakie zresztą towarzyszy niechybnie zakończeniu operacji tak skomplikowanej i bezbłędnie przeprowadzonej, iż stanowi prawdziwe dzieło sztuki.

Po powrocie do Włoch zaczęły zawodzić mnie nerwy i postanowiłem odpocząć w Locarno. Jakieś niezrozumiałe poczucie winy, jakiś nieuchwytny lęk, że ktoś mógłby mnie rozpoznać, skłoniły mnie do podróży drugą klasą, w dżinsach i koszulce z krokodylem.

Na granicy oblegli mnie drobiazgowi funkcjonariusze celni, którzy obejrzeli mój bagaż, nie wyłączając najbardziej osobistej bielizny, i zakwestionowali jako towar nielegalnie wwożony do Szwajcarii karton papierosów MS z filtrem. Okazało się poza tym, że znaczek skarbowy w paszporcie jest od dwóch tygodni nieważny. Na koniec odkryli, że ukryłem w zwieraczu 50 franków szwajcarskich niewiadomego pochodzenia i że nie mam na nie zaświadczenia o legalnym zakupie w banku.

Przesłuchiwano mnie świecąc w oczy tysiącwatową żarówką, bito mokrym ręcznikiem i czasowo zamknięto w izolatce, przywiązując pasami do łóżka.

Na szczęście przyszło mi do głowy, żeby oświadczyć, że należę do loży P2 od momentu jej założenia, że kierując się pobudkami ideologicznymi podłożyłem parę bomb w pociągach pospiesznych i że uważam się za więźnia politycznego. Wyznaczono mi jednoosobowy pokój w ośrodku odnowy biologicznej Grand Hotelu na Wyspach Borromejskich. Specjalista dietetyk doradził mi, żebym opuszczał co któryś posiłek, co pozwoli mi powrócić do formy i właściwej wagi, psychiatra zaś wszczął starania o uzyskanie dla mnie aresztu domowego ze względu na rzucający się w oczy brak łaknienia. W tymże czasie napisałem kilka anonimowych listów do sędziów sądów okręgowych, insynuując, że piszą jedni do drugich listy anonimowe, i zadenuncjowałem matkę Teresę z Kalkuty, oskarżając ją o aktywne kontakty z Bojowymi Zastępami Komunistów.

Jeśli wszystko pójdzie jak powinno, za tydzień będę w domu.

(1989)

JAK NIE POSŁUGIWAĆ SIĘ FAKSEM

Telefaks to naprawdę wspaniały wynalazek. Tym, którzy się z nim jeszcze nie zetknęli, wyjaśniam, że wkłada się do niego list, wykręca odpowiedni numer telefonu i list po kilku sekundach dociera do adresata. Nie tylko list, także rysunek, plan, fotografia, całe stronice skomplikowanych obliczeń, których nie da się podyktować przez telefon. Jeśli list ma dotrzeć do Australii, kosztuje to tyle samo, co podobnej długości rozmowa telefoniczna. Jeśli wysyłamy go z Mediolanu do Saronno — tyle samo, co połączenie międzymiastowe. Proszę uświadomić sobie, że połączenie z Paryżem kosztuje wieczorem około tysiąca lirów. W kraju takim jak nasz, gdzie poczta z definicji nie działa, telefaks jest rozwiązaniem problemu. Zwykły człowiek nie wie również, że za całkiem przystępną cenę kupuje się telefaks, który można trzymać w sypialni albo zabierać ze sobą w podróż. Kosztuje jakieś półtora do dwóch milionów. To dużo jak na zachciankę, mało jednak, jeśli rodzaj pracy zmusza cię do korespondowania z wieloma osobami, mieszkającymi w rozmaitych miastach.

W technice obowiązuje jednak nieubłagane prawo, które mówi, że kiedy najbardziej rewolucyjne wynalazki stają się dostępne dla wszystkich, przestają być dostępne. Technika jest w swej istocie demokratyczna, gdyż wszystkim obiecuje te same korzyści, ale urządzenia techniczne funkcjonują pod warunkiem, że korzystają z nich tylko ludzie bogaci. Kiedy używają ich także ubodzy, dostaje przechyłu. Pociąg pokonywał kiedyś odległość z A do B w ciągu na przykład dwóch godzin, ale pojawił się oto samochód, któremu wystarczy godzina. Dlatego samochód kosztował bardzo dużo. Gdy tylko stał się dostępny dla mas, drogi zatkały się i pociąg stał się znowu szybszy. Sądzisz, że apele o korzystanie z komunikacji publicznej są w epoce samochodu absurdem; jeśli jednak wyrzekniesz się auta, okaże się, że dojedziesz na miejsce szybciej niż uprzywilejowani.

W przypadku samochodu minęło wiele lat, zanim osiągnęliśmy punkt krytyczny. Z telefaksem, urządzeniem bardziej demokratycznym (gdyż znacznie tańszym niż samochód), ten punkt został osięgnięty w ciągu niecałego roku. Znowu szybciej działa poczta. Rzecz w tym, że telefaks zachęca do korespondowania. Jeśli dawniej mieszkałeś w Molfetcie, a syna miałeś w Sydney, pisałeś do niego raz na miesiąc i telefonowałeś raz na tydzień. Teraz, mając do dyspozycji telefaks, posyłasz mu natychmiast pierwsze zdjęcie kuzynki, która właśnie przyszła na świat. Jak oprzeć się takiej pokusie? Poza tym świat jest zamieszkany przez stale rosnącą liczbę ludzi, którzy chcą poinformować cię o czymś, czego wcale nie chcesz wiedzieć: jak najkorzystniej lokować kapitał, jak kupić ten lub inny przedmiot, jak uszczęśliwić nadawcę wysyłając mu czek, jak zrealizować się w pełni dzięki uczestnictwu w konferencji, która podniesie twoje kwalifikacje zawodowe. Wszystkie te osoby, ledwie dowiedzą się, że jesteś posiadaczem telefaksu, sięgają po książkę telefoniczną i ślą ci na wyścigi, za umiarkowaną opłatą, informacje, których nie jesteś spragniony.

Rezultat jest taki, że kiedy podchodzisz rano do telefaksu, widzisz, że tonie w powodzi korespondencji, która napłynęła w ciągu nocy. Oczywiście wyrzucasz wszystko nie czytając, jeśliby jednak ktoś bliski chciał donieść ci, że odziedziczyłeś dziesięć miliardów po wujku z Ameryki, ale musisz o ósmej stawić się u notariusza, linia byłaby zajęta i nie dowiedziałbyś się o tym. Osoba, o której mowa, musiałaby więc skorzystać z usług poczty. Telefaks stał się kanałem przepływu informacji zbędnych, podobnie jak samochód stał się środkiem do powolnej jazdy, przeznaczonym dla ludzi mających mnóstwo czasu i pragnących stać w długich kolumnach pojazdów, słuchając Mozarta lub Sabriny Salerno.

Trzeba na koniec stwierdzić, że faks wprowadza nowy element do dynamiki zanudzania. Dotychczas było tak, że nudziarz, który chciał wiercić ci dziurę w brzuchu, sam musiał płacić (za telefon, znaczek pocztowy, taksówkę, by zastukać do twoich drzwi). Teraz ty ponosisz część kosztów, bo ty przecież opłacasz abonament za telefaks.

Co więc robić? Zastanawiałem się już, czy nie zamówić papieru listowego z napisem w nagłówku: ,,Faks niepożądany automatycznie znajdzie się w koszu", nie sądzę jednak, by mogło to wystarczyć. Jeśli mogę udzielić jakiejś rady, wyłączaj telefaks. Kiedy ktoś zechce przysłać ci jakieś pismo, będzie musiał zatelefonować i poprosić, byś włączył urządzenie. Ale może doprowadzić to do zatkania linii telefonicznych. Lepiej, żeby ten ktoś przysłał list. Ty zaś odpisałbyś mu następująco: ,,Wyślij pismo faksem w poniedziałek pięć minut i dwadzieścia siedem sekund po piątej czasu Greenwich, gdyż wtedy włączę aparat na cztery minuty i trzydzieści sześć sekund".

(1989)

JAK REAGOWAĆ NA ZNANE SKĄDŚ TWARZE

Kilka miesięcy temu znalazłem się przelotem w Nowym Jorku i nagle zobaczyłem z daleka doskonale mi znanego faceta, który zdążał właśnie w moją stronę. Bieda z tym, że nie mogłem sobie przypomnieć, gdzie go poznałem ani jak się nazywa. Tego rodzaju sytuacje przeżywamy najczęściej, kiedy za granicą spotykamy kogoś poznanego w ojczystym kraju, albo na odwrót. Twarz w zmienionym otoczeniu wywołuje zamęt w głowie. Jednak jest to twarz tak dobrze mi znana, że z całą pewnością powinienem zatrzymać się, przywitać, porozmawiać, choćby nawet tamten miał natychmiast spytać: „Cześć Umberto, jak się miewasz?" albo nawet: „No jak, zrobiłeś to, o czym mówiłem?", ja zaś nie miałbym pojęcia, co odpowiedzieć. Udać, że go nie zauważyłem? Za późno, tamten jest jeszcze po drugiej stronie ulicy, ale patrzy na mnie. Lepiej już przejąć inicjatywę, przywitać się, a potem na podstawie brzmienia głosu, pierwszych słów przypomnieć sobie, kto to taki.

Jesteśmy dwa kroki od siebie, już mam rozciągnąć usta w szerokim uśmiechu, wyciągnąć dłoń, kiedy nagle poznaję. To Anthony Quinn. Oczywiście nigdy nie byliśmy sobie przedstawieni. Zdążyłem w jakimś tysięcznym ułamku sekundy wyhamować i minąłem go ze spojrzeniem zagubionym w pustce.

Zastanawiałem się później nad tym incydentem i doszedłem do wniosku, że nie ma w nim niczego nad-zwyczajnego. Zdarzyło się już kiedyś, że w jakiejś re-stauracji wypatrzyłem Charltona Hestona i odruchowo chciałem mu się ukłonić. Wszystkie te twarze zaludniają naszą pamięć, spędziliśmy z nimi wiele godzin siedząc przed ekranem, stały się swojskie jak twarze krewnych, a nawet bardziej. Można zajmować się naukowo środ-kami masowego przekazu, dyskutować nad oddziaływa-niem rzeczywistości, nad mieszaniem jej ze światem wyobraźni, i nad tymi, którzy padają ofiarą tego miesza-nia, ale samemu nie jest się wcale uodpornionym na ten syndrom. Jest nawet gorzej.

Zapoznałem się ze zwierzeniami osób, które przez umiarkowany okres były związane z działaniem środków masowego przekazu, jako że dosyć często pokazywały się w telewizji. Nie mam tu na myśli Pippa Baudo ani Maurizia Costanzo, ale osoby, które ze względów zawo-dowych uczestniczyły w jakichś dyskusjach — na tyle często, by zapamiętano ich twarze. Wszystkie uskarżają się na te same nieprzyjemne doznania. Zwykle, kiedy widzi-my kogoś, kogo nie znamy osobiście, nie wpatrujemy się w jego twarz, nie pokazujemy go palcem naszemu rozmówcy, nie mówimy o nim głośno, wiedząc, że może nas usłyszeć. Byłoby to bowiem zachowanie niegrzeczne, a po przekroczeniu pewnej granicy — nawet agresywne. Ci sami ludzie, którzy nigdy w życiu nie wskaza-liby palcem jakiegoś bywalca baru, żeby powiedzieć przyjacielowi, że tamten ma modny krawat, zupełnie inaczej zachowują się w razie zobaczenia twarzy kogoś znanego.

Moje króliki doświadczalne twierdzą, że przed kios-kiem z gazetami, w sklepie z wyrobami tytoniowymi, przy wsiadaniu do pociągu, wchodzeniu do toalety w re-stauracji natykają się na ludzi, którzy między sobą wymieniają na głos uwagi: ,,Widzisz, to ten a ten.

— Jesteś pewny? — Jasne, to on". I chociaż „ten a ten" wszystko słyszy, ciągną miłą konwersację, nie zważając na jego obecność — jakby nie istniał.

Zbija ich z tropu fakt, że mieszkaniec zbiorowej wyobraźni wtargnął niespodziewanie w rzeczywiste życie, ale jednocześnie w obecności realnej osoby zachowują się tak, jakby nadal była tylko mieszkańcem wyobraźni, jakby była nadal uwięziona na ekranie albo fotografii w magazynie ilustrowanym, można więc mówić bez obawy, iż usłyszy.

To tak jakbym złapał Anthony'ego Quinna za kołnierz, zaciągnął do budki telefonicznej i zadzwonił do przyjaciela, żeby powiedzieć: „To ci historia, spotkałem Anthony'ego Quinna, robi wrażenie prawdziwego człowieka, co ty na to?" (A potem pozbyłbym się go i zajął swoimi sprawami).

Środki masowego przekazu wmówiły nam najpierw, że twory wyobraźni są obdarzone bytem rzeczywistym, a teraz wmawiają nam, że rzeczywistość jest tworem wyobraźni, a im więcej rzeczywistości mamy na ekranach telewizyjnych, tym bardziej rzeczywistość filmowa zlewa się ze światem codziennego życia. Aż dojdzie do tego, że — jak przekonują niektórzy filozofowie — uznamy, iż jesteśmy sami na tym świecie, a wszystko poza tym to tylko film, który Bóg lub jakiś geniusz zła wyświetla przed naszymi oczami.

(1989)

JAK ROZPOZNAĆ FILM PORNO

Nie wiem, czy zdarzyło ci się, czytelniku, obejrzeć film pornograficzny. Nie mam na myśli filmu z wątkami erotycznymi, nawet budzącymi sprzeciw wielu osób, jak choćby *Ostatnie tango w Paryżu*. Chodzi mi o filmy pornograficzne, a więc takie, których prawdziwym i jedynym celem jest od początku do końca wywołanie u widza podniecenia i które przedstawiają rozmaite i zmienne sposoby kopulowania, by ten cel osiągnąć, a wszystko inne liczy się tyle co nic.

Często się zdarza, że o tym, czy dany film jest czysto pornograficzny, czy też ma jakieś wartości artystyczne, muszą decydować sądy. Nie należę do tych, którzy utrzymują, że wartość artystyczna rozgrzesza z wszystkiego. i bywało już, że autentyczne dzieła sztuki okazywały się niebezpieczniejsze dla wiary, obyczaju i powszechnej opinii niż dzieła niższego lotu. Uważam poza tym, że osoby dorosłe mają prawo do świadomego obcowania z utworami pornograficznymi, w każdym razie, jeśli nie dysponują czymś odpowiedniejszym. Przyjmuję jednak do wiadomości fakt, że czasem trybunał musi zdecydować, czy dany film został wyprodukowany w celu wyrażenia pewnych koncepcji lub ideałów estetycznych (nawet za pośrednictwem scen obrażających poczucie wstydu ogółu), czy też jego jedynym celem było rozbudzenie instynktów widza.

Otóż istnieje kryterium pozwalające określić, czy film jest erotyczny, kryterium oparte na sumowaniu przerw w akcji. Wielkie, ponadczasowe arcydzieło *Czerwone cienie* rozgrywa się wyłącznie (poza początkiem, króciutkimi wstawkami i zakończeniem) w dyliżansie. *Przygoda* Antonioniego składa się z samych przerw w akcji; ludzie snują się, przychodzą, coś mówią, gubią się i odnajdują, ale przez cały czas nic się nie dzieje. Ale ten film ma właśnie powiedzieć, że nic się nie dzieje. Może się to nam podobać albo nie, lecz dokładnie to ma nam przekazać.

Natomiast film pornograficzny, jeśli ma być warty ceny biletu lub wideokasety, powiada nam, że pewne osoby kopulują ze sobą, mężczyźni z kobietami, mężczyźni z mężczyznami, kobiety z kobietami, kobiety z psami lub końmi (zwracam uwagę, że nie ma filmów pornograficznych, w których mężczyźni kopulowaliby z kobyłami lub suczkami; dlaczego?). I to byłoby jeszcze w porządku, ale pełno tutaj przerw w akcji.

Jeśli Gilberto, pragnąc zgwałcić Gilbertę, musi udać się z piazza Cordusio na corso Buenos Aires, film pokazuje nam, jak samochód Gilberta pokonuje całą tę trasę, nie oszczędzając nam ani jednych świateł po drodze.

W filmach pornograficznych roi się od postaci, które wsiadają do samochodu i przemierzają całe kilometry, od par, które tracą niewiarygodnie dużo czasu na zameldowanie się w hotelu, panów, którzy marnują cenne minuty w windzie, zamiast od razu udać się do pokoju, dziewczyn, które sączą rozmaite trunki i zabawiają się koszulkami i koronkami, a dopiero potem wyznają, że przedkładają Safonę nad Don Juana. Mówiąc prosto z mostu, choć nieco ordynarnie, nim dojdzie do zdrowego spółkowania, trzeba zapoznać się kapkę z problemami komunikacji.

Powody tego stanu rzeczy są oczywiste. Film, w którym Gilberto gwałciłby bez wytchnienia Gilbertę od przodu, tyłu i z boku, byłby nie do wytrzymania. Fizycznie dla aktorów i finansowo dla producenta. Przekraczałby też wytrzymałość psychiczną widza, aby bowiem doszło do naruszenia obyczaju, w tle musi toczyć się zwyczajne życie. Przedstawienie zwyczajnego życia to dla każdego artysty jedno z najtrudniejszych zadań, natomiast ukazanie zboczenia, zbrodni, gwałtu, tortury jest bez porównania łatwiejsze.

Dlatego film pornograficzny musi pokazać zwyczajny bieg życia — i jest to sprawa zasadniczej wagi, jeśli naruszenie obyczaju ma następnie wzbudzić zainteresowanie — tak jak to pojmuje każdy z widzów. Dlatego, jeśli Gilberto ma pojechać autobusem z A do B, ujrzymy, jak Gilberto wsiada do autobusu i jedzie z A do B. Często irytuje to widzów, którzy chcieliby mieć same sceny gorszące. Jest to wszelako złudzenie. Nikt nie byłby w stanie wytrzymać półtorej godziny scen gorszących. Tak więc przerwy w rozwoju intrygi są koniecznością.

Jeszcze raz od początku. Wchodzisz do kina. Jeśli bohaterowie więcej czasu, niż pragnąłbyś, poświęcają na pokonywanie odległości dzielącej A od B, oznacza to, że oglądasz film pornograficzny.

(1989)

JAK JEŚĆ LODY

Kiedy byłem mały, kupowano dzieciom dwa rodzaje lodów, sprzedawanych z tych białych wózków z posrebrzanym wiekiem: rożek za dwa soldy albo wafel za cztery. Rożek za dwa soldy był maleńki, pasował dokładnie do dziecięcej rączki i napełniało się go wydobywając lody z pojemnika za pomocą specjalnej łopatki. Babcia prosiła zawsze, żeby nie zjadać całego rożka i wyrzucać spiczasty koniec, gdyż brał go do ręki lodziarz (a przecież właśnie ta część była najlepsza i najbardziej chrupiąca, więc zjadało się ją ukradkiem, udając, że została wyrzucona).

Wafel za cztery soldy był napełniany przy pomocy specjalnego przyrządu, także posrebrzanego, który ściskał dwoma krążkami wafla cylindryczny wycinek lodów. Wsuwałeś język w szczelinę między waflami, dopóki dawało się nim sięgnąć do centralnie umieszczonych lodów, a potem zjadałeś już wszystko, gdyż obie powierzchnie zewnętrzne były rozmiękłe i nasączone nektarem. Babcia nie musiała o nic prosić, gdyż w teorii wafle stykały się jedynie z maszyną, choć w praktyce lodziarz brał je do ręki umieszczając w urządzeniu, jednak określenie strefy zakażonej było niemożliwe.

Mnie jednak fascynowali ci moi rówieśnicy, którym rodzice, zamiast jednego loda za cztery soldy, kupowali dwa rożki dwusoldowe. Szczęśliwcy kroczyli potem dumnie, dzierżąc jednego loda w prawicy, a drugiego w lewicy,

111

i pochylając lekko głowę, lizali to z jednej ręki, to z drugiej. Ten rytuał miał w moich oczach tyle wystawności, tak godny był pozazdroszczenia, że wielokrotnie prosiłem, by pozwolono mi go odprawić. Daremnie. Moi bliscy byli nieugięci. Jedna porcja za cztery soldy — owszem; dwie po dwa soldy — nigdy.

Jak wszyscy widzą, ani matematyka, ani ekonomia, ani dietetyka nie uzasadniały tej odmowy. Nawet higiena — zakładając, że końce obu rożków były wyrzucone. Wysuwano żałosny i naprawdę nieuczciwy argument, że chłopiec zajęty przenoszeniem spojrzenia z jednego loda na drugi łatwiej może potknąć się o kamień, schodek, upaść i zedrzeć sobie skórę. Wyczuwałem niejasno, że w grę musi wchodzić inny powód, przerażająco pedagogiczny, nie potrafiłem jednak go wyłuskać.

Otóż jako użytkownik i ofiara cywilizacji konsumpcyjnej i marnotrawiącej dobra (a więc odmiennej od cywilizacji lat trzydziestych) wiem już, że ci najdrożsi zmarli mieli rację. Dwa lody po dwa soldy w miejsce jednego czterosoldowego nie były marnotrawstwem z punktu widzenia ekonomii, ale z całą pewnością były nim symbolicznie. Właśnie dlatego tak ich pragnąłem; mówiły wszak o zbytku. I właśnie dlatego mi ich odmawiano; robiły wrażenie czegoś nieprzystojnego, były policzkiem wymierzonym ubóstwu, popisywaniem się urojonym przywilejem, agresywnym dostatkiem. Dwa lody jadły tylko dzieci rozpieszczane, dzieci, które w bajkach zawsze spotyka zasłużona kara, jak Pinokia, kiedy z pogardą patrzył na skórkę chleba i ogryzek. Rodzice, którzy zachęcali małych parweniuszy do demonstrowania tej słabości, przygotowywali ich do występu w głupim teatrze „chciałbym-ale- nie-mogę", czyli, jak powiedzielibyśmy dzisiaj, do tego, by lecąc klasą turystyczną zabierali podrabianą torbą od Gucciego, kupioną od wędrownego sprzedawcy na plaży w Rimini.

W świecie, w którym cywilizacja konsumpcyjna rozpieszcza także dorosłych, obiecując im ciągle coś więcej, od wbudowanego zegarka do wisiorka w upominku dla każdego, kto kupi czasopismo, w takim świecie apologeta może jawić się jako wyzbyty moralności. Zupełnie jak rodzice tych oburęcznych łakomczuchów, którym tak zazdrościłem, cywilizacja konsumpcyjna udaje, że daje więcej, ale w ostatecznym rachunku daje za cztery soldy to, co warte jest cztery soldy. Wyrzucisz stare radio tranzystorowe, by kupić takie, które samoczynnie się nastawia, ale jakieś niepojęte słabości konstrukcyjne sprawią, że nowy tranzystor przetrwa ledwie rok. Nowy samochód będzie miał siedzenia wyściełane skórą, dwa boczne lusterka regulowane z wnętrza samochodu i drewnianą tablicę rozdzielczą, ale okaże się znacznie mniej trwały od sławnej pięćsetki, którą można było uruchomić kopniakiem, jeśli się nawet zepsuła.

No, ale ówczesna moralność wymagała, byśmy byli Spartanami, a dzisiejsza — sybarytami.

(1989)

JAK NIE MÓWIĆ: „DOKŁADNIE TAK"

Toczy się zaciekła walka z szablonowymi powiedzonkami, które szerzą się w potocznej włoszczyźnie. Jednym z nich jest, jak wiemy, „esatto" (dokładnie tak). Wszyscy teraz mówią „esatto", kiedy chcą wyrazić potwierdzenie. Do używania tego słówka zachęciły pierwsze quizy telewizyjne, gdzie oceniając odpowiedź jako poprawną tłumaczono po prostu amerykańskie wyrażenia „that's right" lub „that's correct". A więc w mówieniu „esatto" nie ma w zasadzie nic niewłaściwego, poza tym że osoba używająca tego słowa pokazuje, iż włoskiego uczyła się wyłącznie z telewizji. Mówić „esatto" to jakby popisywać się w salonie encyklopedią, którą nagminnie wręczają jako nagrodę nabywcom proszku do prania.

Pragnąc podać pomocną dłoń osobom chcącym uwolnić się od „esatto", przedstawiam poniżej spis pytań i stwierdzeń, na które odpowiada się zwykle słówkiem „esatto", a w nawiasach podaję warianty innych odpowiedzi twierdzących, których można używać w zastępstwie.

Napoleon zmarł 4 maja 1821 roku. (Świetnie!) Przepraszam, czy to plac Garibaldiego? (Tak.) Halo, czy mówię z Mario Rossim? (Słucham, kto mówi?) Halo, tu Mario Bianchi, czy mówię z Mario Rossim? (Jestem przy aparacie, słucham.) Jestem ci więc winny jeszcze dziesięć tysięcy lirów? (Tak, dziesięć.) Jak pan powiedział, doktorze, AIDS? (No cóż, niestety.) Telefonujesz do programu policyjnego poświęconego poszukiwaniu osób zaginionych, by powiedzieć, że widziałeś opisaną osobę. (Jak na to wpadłeś?) Policja: czy pan jest panem Rossi? (Carla, walizka!) Nie nosisz majtek? (Wreszcie to zauważyłeś!) Żąda pan dziesięciu miliardów okupu? (A skąd mam wziąć na telefon w samochodzie?) Jeśli dobrze zrozumiałem, podpisałeś czek bez pokrycia na dziesięć miliardów i podałeś mnie jako gwaranta? (Podziwiam twoją przenikliwość.) Już po odprawie pasażerów? (Czy widzi pan ten punkcik na niebie?) Mówi więc pan, że jestem kanalią? (Trafił pan w sedno.)

W sumie więc, powiesz, czytelniku, doradzam unikać mówienia „dokładnie tak"?

Dokładnie tak.

(1990)

JAK WYSTRZEGAĆ SIĘ WDÓW

Być może, drodzy pisarze i drogie pisarki, nie zależy wam na tym, co powie o was potomność, ale ja w to nie wierzę. Nawet szesnastolatek, który trudzi się nad wierszem o rozszumianym borze, a również każdy, kto do śmierci spisuje dziennik, choćby złożony z zapisków w rodzaju: „Dzisiaj byłem u dentysty", ma nadzieję, że potomność go doceni. A gdyby nawet pragnął pogrążyć się w zapomnieniu, dzisiejsi wydawcy celują w odkrywaniu zapomnianych twórców, także takich, którzy nie napisali ani jednej linijki.

Potomni są, jak wiadomo, nienasyceni i niewybredni. Byleby tylko coś pisać, przyda się im każde słowo pisane. Dlatego, o pisarze, winniście mieć się na baczności, nie wiadomo bowiem, jak potomność wykorzysta wasze dzieła. Naturalnie najlepiej byłoby, gdybyście za życia dbali o to, ażeby nie poniewierały się po kątach żadne wasze teksty poza tymi, które zdecydowaliście się opublikować, dbali ażeby dzień po dniu połykać wszelkie inne pisemne świadectwa, łącznie z trzecimi korektami. Ale wiadomo, notatki służą do pracy, a śmierć przychodzi znienacka.

W takiej sytuacji największym zagrożeniem jest publikacja ineditów, z których lektury wynika, że byliście zupełnymi głupcami, a wystarczy przeczytać swoje zapiski z poprzedniego dnia, by przekonać się, iż niebezpieczeństwo jest naprawdę ogromne (między innymi dlatego, że notatka jest na ogół wyrwana z kontekstu). Jeśli brak jest zapisków, wyłania się drugie zagrożenie, polegające na tym, że natychmiast *post mortem* zaczną się mnożyć konferencje poświęcone waszemu dziełu. Każdy pisarz ma ambicję, żeby jego imię zostało utrwalone w esejach, pracach dyplomowych, wydaniach krytycznych, ale te przedsięwzięcia wymagają czasu i ambarasu. Bezzwłocznie zorganizowana konferencja pozwala osiągnąć dwa cele: skłania przyjaciół, wielbicieli, złaknionych sławy młodzieńców do ustalenia czterech na krzyż interpretacji dzieła, a poza tym, jak wiadomo, tego rodzaju zgromadzenia pozwalają odgrzewać ciut nieświeże dania, utrwalać frazesy. Dzięki temu już wkrótce czytelnicy rozczarują się do pisarzy tak natarczywie narzucających sposób odczytania.

Trzecie zagrożenie to publikacja osobistej korespondencji. Rzadko się zdarza, żeby pisarz pisał listy inne niż zwykli śmiertelnicy, chyba że chodzi o zmyśloną korespondencję, jak u Foscola. Piszą więc: „Przyślij mi środek na przeczyszczenie" albo: „Kocham Cię jak szalony (szalona) i dziękuję Ci, że jesteś" — i nie ma w tym nic niewłaściwego ani niezwykłego, wzruszające jest natomiast to, że potomność wygrzebuje te świadectwa, by wyłuskać z nich wniosek, iż pisarz był człowiekiem jak wszyscy. Po co, czyżby przedtem uważano go za flaminga?

Jak uniknąć takiego rozwoju wydarzeń? Jeśli chodzi o odręczne zapiski, radziłbym umieścić je w jakimś niemożliwym do ustalenia miejscu, zostawiając w szufladach coś w rodzaju mapy dla poszukiwaczy skarbów, by w ten sposób potwierdzić istnienie tych materiałów, zaopatrując jednak ową mapę we wskazówki niemożliwe do rozszyfrowania. Uzyska się za jednym zamachem dwie korzyści: ukryje rękopisy i zapewni sobie mnóstwo rozpraw dyplomowych, omawiających nieprzeniknioną tajemnicę mapy.

Jeśli chodzi natomiast o konferencje, pożyteczne może się okazać zostawienie precyzyjnych zapisów testamentowych, domagających się w imieniu Ludzkości, aby w ciągu dziesięciu lat od dnia śmierci organizatorzy każdej tego rodzaju imprezy przelewali dwadzieścia miliardów na konto UNICEF-u. O takie fundusze niełatwo, a trzeba nie lada czelności, żeby zlekceważyć testamentowe zastrzeżenie.

Bardziej skomplikowany jest problem listów miłosnych. Zaleca się pisanie ich na komputerze, gdyż wtedy grafolodzy są bezsilni, a także stosowanie tkliwych pseudonimów („Twój Kotek, Chłopczyk, Twoja Łasiczka"), które należy zmieniać przy każdym partnerze (partnerce), aby atrybucja budziła ciągle wątpliwości. Zalecane jest także wtrącanie uwag, które wyrażają wprawdzie ogromną namiętność, ale są ambarasujące dla adresata (na przykład: „Kocham Cię nawet za to, że często puszczasz wiatry") i zniechęcają go do publikowania.

Nie da się za to nijak poprawić tego, co napisało się niegdyś, a już szczególnie w latach dorastania. W takich przypadkach najlepiej byłoby wytropić odbiorców, napisać list, w którym z dystansem i pogodnie wspominałoby się niezapomniane dni i obiecywało, że pamięć o tamtych czasach pozostanie tak nieśmiertelna, iż nawet po śmierci piszący będzie nawiedzał adresatów, by owa pamięć nie została zaprzepaszczona. Nie zawsze to działa, ale upiór to zawsze upiór i adresaci nie będą mieli spokojnych snów.

Przydałoby się również prowadzenie fikcyjnego dziennika, w którym co jakiś czas wtrącałoby się myśl, że przyjaciele i przyjaciółki mają skłonność do łgarstwa i fałszerstwa: „Jakąż uroczą kłamczuszką jest Adelajda"

118

albo: „Gualtiero pokazał mi dzisiaj sfałszowany list Pessoi, istne cudo".

(1990)

JAK NIE ROZMAWIAĆ O PIŁCE NOŻNEJ

Nie mam nic przeciwko piłce nożnej. Na stadiony nie chodzę z tego samego powodu, z jakiego nie ważyłbym się spać nocą na mediolańskim Dworcu Centralnym (albo przechadzać się w Nowym Jorku po Central Parku, kiedy wybije szósta po południu), ale jeśli jest okazja, z przyjemnością i zainteresowaniem patrzę na dobry mecz w telewizji, gdyż znam i doceniam wszystkie walory tej szlachetnej gry. Nie czuję niechęci do piłki nożnej. Czuję niechęć do ludzi zakochanych w piłce.

Chciałbym jednak być dobrze zrozumiany. Dla kibiców mam takie same uczucia, jakie Liga Lombardzka żywi do osób spoza wspólnoty: „Nie jestem rasistą, dopóki siedzą u siebie". A przez to „u siebie" rozumiem miejsca, gdzie lubią się spotykać w ciągu tygodnia (bar, rodzina, klub), oraz stadiony, nie interesuje mnie bowiem, co się tam dzieje, i cieszę się, kiedy przyjeżdżają kibice z Liverpoolu, gdyż później mam zapewnioną rozrywkę przy lekturze prasy, i skoro mają już *circenses*, niechaj przynajmniej leje się krew.

Nie lubię kibica, bo ma dziwny rys charakteru: nie rozumie, dlaczego ty nie jesteś kibicem, i stara się rozmawiać z tobą tak, jakbyś nim był. Żeby uniknąć nieporozumień, pozwolę sobie przytoczyć przykład. Gram na flecie prostym (coraz gorzej, jak twierdzi w publicznie złożonej deklaracji Luciano Berio, lecz fakt, że tak uważnie śledzą mój rozwój Wielcy Mistrzowie, daje mi niemałą satysfakcję). Załóżmy teraz, że jadę pociągiem i pragnąc nawiązać rozmowę z siedzącym naprzeciwko podróżnym, pytam:

— Czy słuchał pan ostatniego kompaktu Fransa, Brüggena?

— Co, czego?

— Mam na myśli *Pavane Lachryme*. Moim zdaniem zanadto zwalnia na początku.

— Przepraszam, ale nie rozumiem.

— Przecież mówię Van Eyck, tak czy nie? (Oddzielając sylaby) Blockflöte.

— Proszę pana, ja... Czy to na smyczki?

— Ach, rozumiem, pan nie...

— Nie.

— To ciekawe. Czy wie pan, że jeśli chce się mieć ręcznie wykonanego coolsmę, trzeba czekać trzy lata? Lepiej już sprawić sobie moecka z hebanu. Jest najlepszy, w każdym razie spośród tych, które dostępne są w handlu. Tak twierdzi Gazzelloni. Czy potrafi pan dojść do piątej wariacji z *Derdre Doen Daphne D'Over*?

— Ja naprawdę jadę do Parmy...

— Aha, rozumiem, gra pan w tonacji f, nie zaś c. Daje większą satysfakcję. Czy wie pan, że odkryłem sonatę Loeilleta, która...

— Leje co?

— Ale chcę zobaczyć, jak pójdzie z fantazjami Telemanna. Pan czasem próbuje? Nie stosuje pan czasem palcowania niemieckiego?

— Wie pan, Niemcy, BMW to świetny samochód, mam dla nich dużo szacunku, ale...

— Jasne. Stosuje pan więc palcowanie barokowe. Słusznie. Proszę tylko pomyśleć, ci z Saint Martin in the Fields...

Nie jestem pewny, czy wytłumaczyłem, o co mi chodzi. Ale jeśli mój nieszczęśliwy towarzysz podróży rzuci się na hamulec, z pewnością go, czytelniku, nie potępisz. Dokładnie tak samo jest z kibicem. Sytuacja staje się szczególnie trudna w przypadku rozmowy z taksówkarzem.

— Widział pan Viallego?

— Nie, musiał przyjść, kiedy akurat wyszedłem.

— Obejrzy pan wieczorem mecz?

— Nie, muszę zająć się księgą Zet *Metafizyki*, wie pan, chodzi o Stagirytę.

— Dobrze, niech pan zobaczy, a potem sam powie. Dla mnie Van Basten mógłby zostać Maradoną lat dziewięćdziesiątych, a jak pan myśli. Ale ja nie spuszczałbym z oka Hagiego.

I tak się toczy rozmowa — jakby gadać do ściany. I nie w tym rzecz, że jego nie obchodzi, czy mnie obchodzi. Rzecz w tym, że on nie jest w stanie pojąć, że kogoś może to nie obchodzić. Nie pojąłby tego, nawet gdybym miał troje oczu i parę czułków na zielonych łuskach potylicy. Nie uświadamia sobie odmienności, różnorodności i nieporównywalności możliwych światów.

Podałem przykład taksówkarza, ale w przypadku rozmówcy z klas panujących sprawa przedstawia się dokładnie tak samo. To jak choroba wrzodowa, atakuje biednych i bogatych. Rzeczą osobliwą jest jednak to, że istoty tak niezłomnie przekonane o równości wszystkich ludzi gotowe są rozbijać głowy kibicom, którzy przyjechali z sąsiedniej prowincji. Ten ekumeniczny szowinizm wydziera z mojej piersi okrzyk podziwu. To tak, jakby ci z Ligi powiedzieli: „Niech Afrykanie przyjeżdżają do nas. Potem damy im wycisk".

(1990)

JAK UZASADNIĆ POSIADANIE
BIBLIOTEKI DOMOWEJ

Od najmłodszych lat byłem narażony zwykle na dwa (i tylko dwa) rodzaje uwag: „Zawsze musi być twoje (pana) na wierzchu" oraz: „Mówisz (mówi pan) tak, że echo niesie się po dolinie". Przez całe dzieciństwo sądziłem, że wskutek jakiegoś osobliwego zbiegu okoliczności wszystkie osoby, jakie poznawałem, są głupie. Potem, kiedy osiągnąłem wiek podeszły, przekonałem się, że każda istota ludzka podlega dwóm prawom: pierwsza myśl jest najlepsza, oraz: kiedy już się wpadło na tę myśl, nie przychodzi człowiekowi do głowy, że inni mogli wpaść na nią wcześniej.

Mam całą kolekcję tytułów recenzji, napisanych we wszystkich językach wywodzących się z pnia indoeuropejskiego, od „Echo Eca" po „Ta książka odbije się szerokim echem". Ale podejrzewam, że w tym ostatnim przypadku nie taka była pierwsza myśl redaktora; z pewnością na posiedzeniu kolegium rzucono ze dwadzieścia rozmaitych tytułów, a wreszcie naczelnemu rozjaśniło się oblicze i oświadczył: „Chłopcy, mam świetny pomysł!" Na to współpracownicy: „Szefie, jesteś niesamowity, sypiesz pomysłami jak z rękawa". „To wrodzone" — odparł bez wątpienia.

Nie chcę przez to wcale powiedzieć, że ludzie są banalni. Uznanie czegoś oczywistego za rzecz nową, wymyśloną dzięki boskiemu objawieniu świadczy o świeżości umysłu, entuzjastycznym podejściu do życia i nie-spodzianek, jakie niesie, o umiłowaniu myśli — choćby nie największej. Nigdy nie zapomnę pierwszego spot-kania z wielkim człowiekiem, jakim był Erving Goffman. Podziwiałem go i kochałem za geniusz i głębię spojrzenia pozwalającą mu gromadzić i opisywać najbardziej nikłe odcienie zachowań społecznych, za umiejętność wyłus-kiwania najmniej widocznych cech, które uchodziły uwa-dze innych. Siedzieliśmy przy stoliku przed kawiarnią i po chwili, patrząc na ulicę, Goffman powiedział: „Wiesz, wydaje mi się, że w miastach jest już za dużo samo-chodów". Być może nigdy nie przyszło mu to do głowy, gdyż zastanawiał się nad znacznie ważniejszymi rzeczami; nagle doznał olśnienia i miał umysł na tyle świeży, że je wyjawił. Ja, mały snob, zatruty lekturą *Niewczesnych rozważań* Nietzschego, nie wykrztusiłbym tego z siebie, nawet gdyby przyszło mi do głowy.

Drugi wstrząs wskutek nagłego olśnienia przytrafia się wielu osobom, które żyją podobnie jak ja. Mam dosyć bogatą bibliotekę, rzucającą się w oczy, gdy wchodzi się do naszego domu — także dlatego, że nie ma tu nic poza tym. Gość wchodzi i mówi: „Ile książek! Przeczytał pan to wszystko?" Z początku uważałem, że te słowa są charak-terystyczne dla osób słabo oswojonych z książkami, przywykłych do widoku półeczki z pięcioma kryminała-mi i zeszytową encyklopedią dla dzieci. Jednak doświad-czenie nauczyło mnie, że słowa powyższe padają także z ust osób pozostających poza wszelkim podejrzeniem. Można by powiedzieć, że zawsze są to osoby, dla których półka to miejsce na książki przeczytane, a biblioteka domowa nie jest narzędziem pracy — ale to nie wystarcza. Uważam, że na widok wielkiej liczby książek ludzi ogarnia pragnienie wiedzy, tak więc nieuniknione jest pytanie, które wyraża niepokój i wyrzuty sumienia.

Problem polega na tym, że kiedy cię karcą: „Zawsze

musi być twoje na wierzchu!", wystarczy odpowiedzieć cichym chichotem, a co najwyżej, jeśli chcesz okazać uprzejmość, oznajmić: „Święta racja!" Ale na pytanie dotyczące książek trzeba odpowiedzieć, chociaż zaciskają ci się szczęki, a strumyki lodowatego potu spływają po grzbiecie. Kiedyś stosowałem odpowiedź wzgardliwą: „Żadnej nie czytałem, w przeciwnym razie po co miałbym je tu trzymać?" Ale jest to odpowiedź niebezpieczna, gdyż prowokuje oczywistą reakcję: „A gdzie trzymasz przeczytane?" Lepsza jest standardowa odpowiedź Roberta Leydiego: „O wiele więcej, proszę pana, o wiele", paraliżuje bowiem przeciwnika i wprawia w stan osłupienia i nabożnej czci. Moim zdaniem jest jednak bezlitosna i grozi wywołaniem stanów lękowych. Obecnie skłaniam się do stwierdzenia: „Nie, to tylko lektury na najbliższy miesiąc, resztę trzymam na uniwersytecie", gdyż taka odpowiedź z jednej strony sugeruje precyzyjną strategię ergonomiczną, a z drugiej — skłania gościa do przyspieszenia chwili pożegnania.

(1990)

JAK NIE KORZYSTAĆ Z TELEFONU KOMÓRKOWEGO

Łatwo jest szydzić z posiadaczy telefonu komórkowego. Należy jednak sprawdzić, do której z pięciu poniższych kategorii należą. Pierwsza — to ludzie z niewidocznym niekiedy kalectwem, którzy muszą być w stałym kontakcie z lekarzem i pogotowiem ratunkowym. Chwała niech będzie technice za oddanie im do dyspozycji tak pożytecznego aparatu. Na drugim miejscu są ci, którzy ze względu na poważne obowiązki zawodowe muszą być przez cały czas do dyspozycji (oficerowie straży pożarnej, lekarze rejonowi, transplantatorzy organów, oczekujący na świeże zwłoki, a także Bush, gdyby bowiem jego zabrakło, świat wpadłby w ręce Quayle'a). Dla tych ludzi telefon to twarda konieczność, nie mająca nic wspólnego z przyjemnością. .

Jako trzeci idą cudzołożnicy. Dopiero teraz, po raz pierwszy w historii, mają możliwość odbierania od swojego potajemnego partnera informacji tak, by rozmowy nie usłyszeli członkowie rodziny, sekretarki ani złośliwi koledzy. Wystarczy, żeby tylko ona i on znali numer (albo on i on, ona i ona; jakoś wyleciały mi z głowy inne możliwe kombinacje). Wszystkie trzy wymienione powyżej kategorie mają prawo do naszego szacunku. Jeśli chodzi o dwie pierwsze, gotowi jesteśmy znieść to, że zakłóci się nam spokój w restauracji albo podczas pogrzebu, natomiast cudzołożnicy są zazwyczaj bardzo dyskretni.

Pozostałe dwie kategorie są natomiast grupami ryzyka (również dla siebie, nie tylko dla nas). Pierwsza z nich to osoby nie potrafiące ruszyć się na krok, jeśli nie mają możliwości, by plotkować o błahych sprawach z przyjaciółmi i krewnymi, z którymi dopiero co się rozstały. Bardzo trudno jest wyjaśnić im, dlaczego nie powinny tego robić. Skoro nie potrafią opanować pędu do kontaktu z innymi ani cieszyć się chwilami samotności, zainteresować się tym, co robią w danej chwili, smakować oddalenia po okresie smakowania bliskości, skoro nie potrafią ukryć swojej wewnętrznej pustki, a nawet czynią z niej symbol i sztandar, no cóż, sprawa podpada pod kompetencję psychologa. Tacy ludzie są uciążliwi, ale musimy zrozumieć ich straszną wewnętrzną jałowość, dziękować Bogu, że nie jesteśmy w ich skórze, i wybaczać (nie daj się natomiast opanować szatańskiej radości, że nie jesteś taki, oznaczałoby to bowiem pychę i brak miłosierdzia). Uznaj ich za swoich bliźnich i nastaw drugie ucho.

Ostatnia kategoria (należą do niej także, na najniższym szczeblu drabiny społecznej, nabywcy telefonów-atrap) to osoby, które pragną pokazać publicznie, że ludzie uganiają się za nimi, szczególnie w związku z interesami. Rozmowy, jakich musimy wysłuchiwać na dworcach lotniczych, w restauracjach i pociągach, dotyczą niezmiennie transakcji walutowych, niedotarcia na miejsce transportu szyn profilowanych, nalegania w sprawie wyprzedaży partii krawatów oraz innych spraw, które w intencji rozmawiającego pasują do stylu Rockefeller.

Rzecz w tym, że mechanizm podziału na klasy działa w sposób przerażający, gdyż taki nowobogacki, nawet jeśli zarabia ogromne sumy, nie wyzbył się atawistycznego proletariackiego piętna, nie wie, jak posługiwać się sztućcami do ryb, zawiesza małpkę w tylnym oknie swojego ferrari, świętego Krzysztofa na tablicy rozdzielczej prywatnego odrzutowca albo mówi „manàgment"; nie bywa więc u księżnej de Guermantes (i dręczy go pytanie, dlaczego, skoro ma jacht tak długi, że właściwie jest mostem od brzegu do brzegu).

Taki człowiek nie wie, iż Rockefeller nie potrzebuje telefonu, gdyż ma sekretariat tak wielki i sprawny, że w najgorszym razie, kiedy umiera mu dziadek, przybywa szofer i szepcze mu coś do ucha. Człowiek możny to taki, który nie musi rozmawiać z każdym, kto zadzwoni, a nawet — jak zwykło się mawiać — jest niedostępny. Nawet na niskim szczeblu dyrektorskim dwoma symbolami sukcesu jest klucz do własnego gabinetu i sekretarka, która mówi: „Szef właśnie wyszedł".

Dlatego ten, kto popisuje się telefonem komórkowym jako symbolem władzy, wbrew swoim intencjom ujawnia wszystkim swoją podrzędną pozycję, nawet bowiem trzymając w ramionach kobietę musi podrywać się na baczność za każdym razem, kiedy dzwoni byle pełnomocnik dyrektora; jest skazany na ściganie dniem i nocą dłużników, by jakoś wyżyć, a bank z powodu jakiegoś czeku bez pokrycia nie daje mu spokoju podczas Pierwszej komunii córki. Lecz fakt demonstracyjnego korzystania z telefonu komórkowego świadczy, że o tym wszystkim nie wie, co potwierdza jego bezapelacyjną marginalizację społeczną.

(1991)

JAK PODRÓŻOWAĆ
AMERYKAŃSKIMI POCIĄGAMI

Można podróżować samolotem cierpiąc na chorobę wrzodową, świerzb, kolana praczki, łokieć tenisisty, ognie świętego Antoniego, AIDS, suchoty galopujące i trąd. Ale nie na przeziębienie. Każdy, kto tego spróbował, wie, że kiedy samolot zniża się nagle z wysokości dziesięciu tysięcy metrów, pojawiają się bóle w uszach, ma się wrażenie, że głowa zaraz pęknie, i człowiek zaczyna walić pięściami w okienko, gdyż chce się za wszelką cenę wydostać, nawet bez spadochronu. Chociaż o tym wiedziałem, zaopatrzyłem się w krople do nosa o piorunującym działaniu i wyruszyłem z przeziębieniem do Nowego Jorku. Skończyło się źle. Kiedy wysiadłem z samolotu, miałem uczucie, jakbym leżał na dnie Rowu Filipińskiego; widziałem, jak ludzie otwierają usta, ale nie słyszałem żadnego dźwięku. Lekarz wyjaśnił mi później na migi, że dostałem zapalenia bębenków, nafaszerował mnie antybiotykami i surowo zakazał lotów przez następne trzy tygodnie. Ponieważ miałem w programie pobyt w trzech różnych miejscowościach na Wschodnim Wybrzeżu, poruszałem się pociągiem.

Koleje amerykańskie to obraz tego, jaki byłby świat po wojnie atomowej. Nie chodzi o to, że pociągi nie wyjeżdżają, lecz że nie docierają do celu, ulegają rozbiciu po drodze, przyjeżdżają z sześciogodzinnym opóźnieniem, więc trzeba na nie czekać na ogromnych, lodowatych i pustych dworcach, gdzie nie ma baru, są za to typki, z którymi lepiej nie zawierać znajomości, gdzie pełno podziemnych przejść przypominających nowojorskie metro z *Powrotu na planetę małp*. Linia Nowy Jork — Waszyngton, którą jeżdżą dziennikarze i senatorowie, przynajmniej w pierwszej klasie zapewnia komfort jak w samolotowej business class i ciepły posiłek na poziomie stołówki uniwersyteckiej. Ale na innych liniach jeżdżą wagony brudne, z wybebeszonymi siedzeniami ze sztucznej skóry, a bufet oferuje jadło takie, że człowiek zaczyna tęsknić (proszę tylko nie mówić, iż przesadzam) za przystosowanymi do powtórnego spożycia trocinami, jakie wmusza się nam w ekspresie Mediolan—Rzym.

Oglądaliśmy kolorowy film, w którym luksusowe wagony sypialne są miejscem okrutnych zbrodni, w którym występują piękne białe kobiety pijące szampana, obsługiwane przez czarnych kelnerów prosto z *Przeminęło z wiatrem*. To fałsz. W rzeczywistości amerykańskimi pociągami jeżdżą czarni pasażerowie prosto z *Nocy żywych trupów*, a biali konduktorzy przemykają z obrzydzeniem korytarzami, potykając się o puszki po coca-coli, porzucone bagaże, gazety nasączone sosem z tuńczyków, który wycieka z bułki, kiedy człowiek otwiera opakowanie z parzącego w palce plastiku napromieniowanego w kuchence mikrofalowej, tak szkodliwej dla naszych zasobów genetycznych.

Pociągu się w Ameryce nie wybiera. Jest karą za lekceważenie tego, co Weber napisał o etyce protestanckiej i duchu kapitalizmu, i za błąd, który polega na tym, że jest się biednym. Lecz ostatnim hasłem głoszonym przez *liberals* jest *politically correct* (PC; język nie powinien dawać świadectwa różnicom). Konduktorzy są niezwykle uprzejmi nawet w stosunku do najgorszego, kudłatego włóczęgi (naturalnie powinienem był napisać: „człowieka o niezwykłej fryzurze"). Po Pennsylvania

Station błąkają się także „nie odjeżdżający", którzy obrzucają roztargnionymi spojrzeniami bagaże bliźnich. Ale wszyscy pamiętają niedawne spory na temat brutalności policji w Los Angeles, i Nowy Jork jest miastem PC. Policjant w stylu irlandzkim zbliża się z uśmiechem do przypuszczalnego włóczęgi i pyta, jak trafił w te strony. Włóczęga powołuje się na prawa człowieka, policjant anielskim tonem zauważa, że na zewnątrz jest piękna pogoda, a następnie odchodzi wymachując (nie kręcąc) długą pałką.

Ale poza tym wielu z biednych, nie umiejąc nawet uwolnić się od głównego symbolu marginalizacji — pali. Jeśli spróbujesz wsiąść do jedynego wagonu dla palących, natychmiast trafiasz do *Opery za trzy grosze*. Byłem jedynym pasażerem w krawacie. Reszta to jacyś katatoniczni freaks, jacyś tramps, którzy spali rzężąc, z otwartymi ustami, jacyś zombi w agonii. Wagon dla palących był na samym końcu, tak że po przybyciu pociągu na stację gromada wyrzutków musiała przebyć po peronie sto metrów krokiem Jerry'ego Lewisa.

Po wyrwaniu się z kolejowego piekła, przebraniu się w czystą odzież, w zarezerwowanej salce Faculty Club zasiadłem do kolacji w towarzystwie dobrze ubranych i mówiących z poprawnym akcentem profesorów. Pod koniec zapytałem, czy mógłbym zapalić gdzieś papierosa. Chwila milczenia, zakłopotane uśmiechy, potem ktoś zamknął drzwi, jedna z pań wydobyła z torebki paczkę papierosów, pozostali rzucili się na moje. Porozumiewawcze spojrzenia, zduszone chichoty jak w mrokach widowni podczas striptizu. Dziesięć minut rozkosznego, oszałamiającego łamania prawa. Byłem Lucyferem, zjawiłem się ze świata mroków i oświecałem ich płomieniem grzechu.

(1991)

JAK WYBRAĆ SOBIE POPŁATNY ZAWÓD

Istnieją zawody bardzo potrzebne i popłatne, które jednak mają te wadę, że wymagają odpowiedniego przygotowania.

Na przykład zawód miejskiego umiejscawiacza znaków wskazujących autostrady. To, że jego celem jest rozładować ruch nie tylko w centrum miasta, ale również na autostradach, doskonale wiemy, wystarczy bowiem raz mu zaufać, by w stanie skrajnego wyczerpania znaleźć się na jakiejś ślepej, peryferyjnej uliczce w dzielnicy fabrycznej. Nie jest jednak łatwe umieszczenie znaków we właściwych miejscach. Głupcowi mogłoby strzelić do głowy, żeby ulokować znak tam, gdzie kierowca ma do wyboru rozmaite drogi, chociaż w takim miejscu i tak zachodzi wysokie prawdopodobieństwo zabłądzenia z własnej inicjatywy. Znak należy umieścić tam, gdzie kierowca instynktownie wybrałby właściwą drogą, istnieje więc potrzeba skierowania go w inną stronę. Żeby jednak wykonywać dobrze ten zawód, trzeba znać się na urbanistyce, psychologii i teorii gier.

Inny bardzo poszukiwany zawód to pisanie instrukcji dołączanych do pudeł z domowym sprzętem elektrycznym i elektronicznym. Taka instrukcja powinna przede wszystkim uniemożliwić zainstalowanie urządzenia. Nie najlepszym modelem są w tym przypadku obszerne podręczniki, jakie kupuje się wraz z kalkulatorami, gdyż wprawdzie osiąga się cel, ale w sposób kosztowny dla producenta. Właściwym wzorcem są ulotki dołączane do produktów farmaceutycznych, które to produkty mają jeszcze tę zaletę, że noszą wprawdzie nazwy z pozoru naukowe, ale w gruncie rzeczy wskazujące jasno naturę medykamentu, tak by kupowanie ich wprawiało nabywcę w zakłopotanie (prostatan, menopausin, platfusan). Natomiast instrukcja potrafi w paru słowach sprawić, że wskazówki, od których zależy nasze życie, stają się nie do pojęcia: „Żadnych przeciwwskazań, poza przypadkami nieprzewidywalnego i śmiertelnego reagowania na produkt".

Jeśli chodzi o sprzęt elektryczny i podobne urządzenia, w instrukcji należy rozwodzić się nad sprawami tak oczywistymi, że masz ochotę je opuścić, tracąc w ten sposób jedyną naprawdę istotną informację:

Aby zainstalować PZ40, należy rozpakować go, wyjmując z kartonowego pudła. Można tego dokonać jedynie po uprzednim otwarciu wspomnianego pudła. Otwiera się je rozchylając w przeciwnych kierunkach dwa skrzydła pokrywy (zobacz rysunek w środku). Podczas operacji otwierania zaleca się trzymać pudło w pozycji pionowej, tak by wieko znajdowało się na wierzchu, gdyż w przeciwnym razie PZ40 może w toku operacji otwierania wypaść na ziemię. Górna część pudła to ta, na której widnieje napis A. Jeśli pierwsza próba otwarcia nie daje rezultatu, należy przystąpić do drugiej. Po otwarciu pudła, a przed usunięciem folii aluminiowej, lepiej oderwać czerwoną tasiemkę, gdyż dzięki temu uniknie się wybuchu pojemnika. UWAGA: po wyjęciu PZ40 pojemnik można wyrzucić.

Nie byle jakim zawodem jest również opracowywanie ankiet, jakie ukazują się, zazwyczaj latem, w tygodnikach poświęconych polityce i kulturze. „Masz do wyboru sól gorzką i kieliszek starego koniaku. Na co się zdecydujesz? Wolisz spędzić urlop z trędowatą osiemdziesięciolatką, czy z Isabelle Adjani? Chcesz, żeby oblazły cię jadowite czerwone mrówki, czy wolisz spędzić noc z Ornellą Muti? Jeśli za każdym razem wybierałeś pierwszy wariant, masz charakter kapryśny, jesteś pełnym inwencji oryginałem, ale trochę oziębłym seksualnie. Jeśli zawsze wybierałeś wariant drugi, jesteś hultajem".

W medycznym dodatku do jednego z dzienników znalazłem ankietę dotyczącą opalenizny i przewidującą na każde pytanie trzy odpowiedzi, A, B i C. Interesujące są odpowiedzi A: „Kiedy wystawiasz się na słońce, jakie jest zaczerwienienie twojej skóry? A: Intensywne. Ile razy spaliłeś sobie skórę? A: Za każdym razem, kiedy się opalałem. Jakie zabarwienie ma twoja skóra czterdzieści osiem godzin po nabawieniu się rumienia? A: Nadal czerwone. Rozwiązanie: jeśli częściej udzielałeś odpowiedzi A, masz skórę bardzo wrażliwą i podatną na rumień". Pomyślałem o następującej ankiecie: „Czy często wypadałeś przez okno? Czy w takich przypadkach doznawałeś mnogich złamań? Czy za każdym razem kończyło się to trwałym kalectwem? Jeśli częściej udzielałeś odpowiedzi A, albo jesteś głupcem, albo coś nie w porządku z twoim błędnikiem. Nie wychodź przez okno, kiedy jakiś kawalarz woła cię z dołu".

(1991)

134

JAK STAWIAĆ WIELOKROPEK

W felietonie „Jak rozpoznawać film porno" wyjaśniłem, że chcąc odróżnić film pornograficzny od filmu przedstawiającego miłość, wystarczy ustalić, czy bohaterowie jadąc skądś dokądś w samochodzie potrzebują na to więcej czasu, niż życzyłby sobie widz i niż wymaga rozwój akcji. Podobne kryterium naukowe może posłużyć do rozróżnienia między pisarzem zawodowym a pisarzem niedzielnym (który również może zyskać sławę). Chodzi o sposób umieszczania wielokropka w środku zdania.

Pisarze używają wielokropka na końcu zdania — by wskazać, że wypowiedź mogłaby mieć ciąg dalszy („niejedno można by jeszcze powiedzieć na ten temat, ale..."), w środku zaś lub między zdaniami — by zaznaczyć, że tekst jest w tym miejscu niepełny („To odgałęzienie jeziora Como... nagle się zwęża"). Pisarze niedzielni używają wielokropka, żeby usprawiedliwić zbyt śmiałą figurę retoryczną: „Był rozwścieczony jak... byk".

Pisarz to człowiek, który postanowił rozszerzyć granice języka, dlatego bierze na siebie odpowiedzialność za zuchwałą nawet metaforę: „Takiego cudu nie oglądała przyroda: kąpać się w słońcach i osuszać rzekami". Wszyscy zgadzamy się, że w tym dystychu Artale przesadził, jak przystało zresztą na przedstawiciela baroku, ale przynajmniej nie wyjął kamienia z rękawa ukradkiem.

Natomiast nie-pisarz napisałby: „Kąpać się... w słońcach i osuszać... w rzekach", jakby chciał powiedzieć: „Oczywiście chodzi o żart".

Pisarz pisze dla innych pisarzy, nie-pisarz pisze dla sąsiada z klatki schodowej albo dla kierownika miejscowego urzędu pocztowego i boi się (często niepotrzebnie), że jego czytelnicy nie zrozumieją lub nie wybaczą mu takiej śmiałości. Wielokropek jest dla niego przepustką; chce zrobić rewolucję, ale z pozwoleniem policyjnym w kieszeni.

Do jakiego stopnia zgubne są wielokropki, widać z przytoczonych poniżej wariacji, ukazujących, co stałoby się z naszą literaturą, gdyby pisarze byli nieśmiali.

„Wim, ać sia włość w istej graniej abrysie trzydźci roków beła... we włodaniu Sancti Benedicti".

„Pochwalony bądź, panie, przez... brata naszego, księżyc, i nasze siostry, gwiazdy".

„Jak w borze... ptaszę wśród zieleni".

„Gdybym miał... ogień, świat bym podpalił".

„W życia... wędrówce, na połowie czasu".

„Najświętszy i najdroższy... i najsłodszy ojcze w Chrystusie słodki... Jezu".

„Ten na jasne warkocze, co... perły, blask... złota cały owego dnia oglądały".

„Brat Cipolla był człekiem o przysadkowej posturze, włosy miał barwy czerwonej, a oblicze zawsze wesołością tchnące. Był to... najsprytniejszy hultaj pod słońcem".

I tak dalej, i tak dalej aż do: „Rok... umierał w nastroju słodyczy" i: „Tej zimy miotały mną... abstrakcyjne szały".

Ależ miny mieliby nasi Wielcy! Proszę jednak zauważyć, że wielokropek, który wyraża lęk spowodowany śmiałością figury stylistycznej, można również wykorzystać, by wzbudzić podejrzenie, iż wyrażenie na pierwszy rzut oka dosłowne jest w istocie figurą retoryczną. Oto przykład. *Manifest komunistyczny* z 1848 roku zaczyna się, jak wiadomo, od słów: „Widmo krąży po Europie" i każdy chyba przyzna, że jest to piękny incipit. A gdyby tylko Marks i Engels napisali: „Widmo krąży po Europie, widmo... komunizmu", poddaliby tym samym w wątpliwość groźny i nieuchwytny charakter komunizmu i rewolucja rosyjska wybuchłaby o pięćdziesiąt lat wcześniej, może nawet za zgodą cara, więc wziąłby w niej udział Mazzini.

A gdyby napisali: „Widmo... krąży po Europie"? Więc nie krąży? Tkwi w miejscu? Ale gdzie? A może chodzi o to, że widma, jak przystało na widma, ukazują się i znikają znienacka, w mgnieniu oka, i nie tracą czasu na żadne krążenie? To jeszcze nie koniec. Czyżby chcieli zaznaczyć, że przesadzają, że widmo chwała Bogu miota się w okolicach Trewiru, więc gdzie indziej można spać nadal spokojnie? A może chcieli napomknąć o tym, że widmo komunizmu nęka już Amerykę, a kto wie, czy nie Australię?

„Być albo... nie być, to wielkie pytanie", „Być albo nie być, to wielkie... pytanie", „Być albo nie... być, to wielkie pytanie..." Sami widzicie, ile szekspirolodzy musieliby się natrudzić, żeby odczytać ukryte intencje barda.

„Włochy są republiką opartą... na pracy (no, no!)"

„Włochy są, powiedzmy... republiką opartą na pracy".

„Włochy są republiką... opartą (???) na pracy".

„Włochy (gdyby były)... byłyby republiką opartą na pracy".

Włochy są republiką opartą na wielokropku.

(1991)

137

SPIS TREŚCI